Lleisiau'r Rhyfel Mawr

Ifor ap Glyn

Argraffiad cyntaf: 2008

(h) testun: Ifor ap Glyn/y cyhoeddiad: Gwasg Carreg Gwalch

Rhif rhyngwladol: 978-1-84527-210-4

Mae'r cyhoeddwr yn cydnabod cefnogaeth ariannol
Cyngor Llyfrau Cymru

Cynllun clawr: Sion Ilar

Cyhoeddwyd gan Wasg Carreg Gwalch,
12 Iard yr Orsaf, Llanrwst, Conwy, LL26 0EH.
Ffôn: 01492 642031 Ffacs: 01492 641502
e-bost: llyfrau@carreg-gwalch.com
lle ar y we: www.carreg-gwalch.com

Argraffwyd a chyhoeddwyd yng Nghymru.

i
frodyr fy Nain,
Will Parry
Johnnie Parry
a Dafydd Parry
a aeth o'r Fach-wen
i ymladd yn
Ffrainc, Twrci a'r Dwyrain Canol

Cynnwys

Cyflwyniad

Rhagair – a diolchiadau   10

Pennod 1
Cofio'r Rhyfel ... yn Gymraeg   15

Pennod 2
'Y mae cymeryd trenches yn golygu llawer'
1914–15   19

Pennod 3
'Yr oedd y maes wedi ei fritho a cyrph
y llanciau dewr'
1916   68

Pennod 4
'Yr ydym at ein cluniau mewn baw'
1917   113

Pennod 5
'Welais i monni mor boeth arnaf ers pan
yn France yma'
1918   157

Cyflwyniad

Pan oeddwn i'n blentyn roedd parlwr ein tŷ ni yn rhyw fath ar gysegr sancteiddiolaf. Dim ond pan alwai rhywun pwysig heibio y câi tân ei gynnau yno. Ymhlith y rhai pwysig y byddai'r gweinidog a pherthnasau i naill ai Mam neu Dada wedi dod i fyny o'r Sowth neu draw o Lundain ar ymweliad.

Ar y wal uwchlaw'r lle tân crogai darlun mawr hirsgwar mewn ffrâm frown tywyll. O'r ffrâm syllai wyneb llanc deunaw oed, ac yntau yn ei lifrai milwrol. Ar ei wyneb roedd gwên fach ansicr. Hwn oedd Wncwl Dai, brawd bach Mam a laddwyd yn Ffrainc yn y Rhyfel Mawr yn 19 oed, yn y rhyfel a fyddai'n diweddu pob rhyfel. Roedd e'n fachgen tawel yn ôl y sôn, ac yn athro ysgol Sul yng Nghaersalem, ysgoldy'r Bedyddwyr yn Ffair Rhos.

Roedd Dai wedi ymaelodi â'r South Wales Borderers ar 5 Mawrth 1917. Collwyd ef o'i gatrawd ar 11 Ebrill 1918 a chanfuwyd ei gorff chwe mis yn ddiweddarach ar 8 Hydref yng nghyffiniau Bethune. Mae ei fedd ym mynwent filwrol Le Hamel.

Yn ôl yr hanes, anfonwyd Dai i'r ffrynt fel cosb wedi iddo gyrraedd yn ôl yn hwyr o'i *leave*. Ar ei daflen goffa dyfynnwyd yr adnod: 'Canys yr hyn a fawr ofnais a ddaeth arnaf, a'r hyn a arswydais a ddigwyddodd i mi.' (Job iii:25)

Derbyniodd Mam-gu Ffair-rhos ryw fath o iawndal am fywyd Dai: soffa wedi ei cherfio ag arfbais Tywysog Cymru ynghyd â'r geiriau 'Ich Dien'. Eisteddais arni droeon. Ie, gwerth bywyd Dai Bach Tycefen oedd un soffa bren.

Mae enw Wncwl Dai ymhlith enwau colledigion y Rhyfel Mawr ar y gofeb a saif ger sgwâr pentref Pontrhydfendigaid. Mae'n un ymhlith deuddeg o enwau eraill. Yno hefyd ceir enw James Davies, 25 oed, o

Dalwrnbont. Lladdwyd ef ar ddiwedd y rhyfel, ar 6 Tachwedd 1918. Perchennog bwthyn ei fam, fel y rhan fwyaf o dai yr ardal, oedd stad Nanteos. Ar yr union ddiwrnod y lladdwyd James Davies ger Buvignies lladdwyd hefyd William Edward George Pryse Wynne Powell, 18 oed, Is-gapten yn y Gwarchodlu Cymreig, ger Maubeuge. Ef oedd etifedd olaf stad Nanteos. Honnir iddo gael ei saethu gan ei ddynion ei hun.

Mewn angau does dim gwahaniaethu. Mae pawb yn gyfartal. Doedd yna'r un bwthyn na phlasty yng Nghymru na chyffyrddwyd gan farwolaethau yn y Rhyfel Byd Cyntaf. A gwaith sobreiddiol fu addasu Lleisiau'r Rhyfel Mawr o bedair sgript deledu yn llyfr hanes. Mae'r ymchwil ar ran y sgriptiwr, Ifor ap Glyn, wedi bod yn anhygoel, ffrwyth chwilota drwy gannoedd ar gannoedd o lythyrau, hunangofiannau a chyfnodolion, ffilmiau a llyfrau hanes. Roedd y dasg a'i hwynebai yn aruthrol.

Fe saif y gyfrol ar ei phen ei hun. Ond bydd yn werthfawr ac yn ddefnyddiol hefyd fel rhyw fath ar gydymaith i'r gyfres. Fe'i teimlaf hi'n fraint i mi gael bod yn rhan ohoni.

Lyn Ebenezer
Hydref 2008

9

Rhagair – a diolchiadau

Mae hanes hir i'r prosiect hwn – hanes sydd, ar un olwg, bron mor hir â'r rhyfel ei hun!

Rhyw bedair blynedd yn ôl, tra oeddwn yn ymchwilio i hanes gwersyll carchar Frongoch, bûm yn darllen papur *Y Seren* (o ardal y Bala) am y flwyddyn 1916. Wrth loffa am fanylion am y carcharorion Gwyddelig, sylweddolais wrth fynd heibio gymaint o lythyrau Cymraeg gan filwyr yr ardal oedd yn cael eu cyhoeddi ar dudalennau'r *Seren* bron bob wythnos. Roeddwn i wedi bod dan yr argraff erioed nad oedd sensoriaid y fyddin yn caniatáu llythyrau yn Gymraeg – ond dyma dystiolaeth i'r gwrthwyneb dan fy nhrwyn i! Teimlais yn syth y dylid edrych yn fanylach ar yr ohebiaeth hon, ond roedd hi'n ddwy flynedd arall cyn y daeth y cyfle.

Y catalydd oedd Wyn Thomas. Roedd ganddo syniad am wneud rhaglen ddogfen am yr ymateb barddonol i'r Rhyfel Mawr, a brwydr Coed Mametz yn benodol. Mi awgrymais i ddefnyddio llythyrau'r milwyr yn hytrach na cherddi i ddweud y stori, a chan fod diddordeb gan S4C, aed ati wedyn i hysbysebu yn y papurau lleol a'r papurau bro, yn holi am lythyrau neu ddyddiaduron o gasgliadau preifat. Cystal oedd yr ymateb fel y sylweddolodd S4C fod digon o ddeunydd newydd i gyfiawnhau nid rhaglen unigol ond cyfres o raglenni.

Yn Hydref 2006, felly, dechreuodd Wyn gasglu deunydd gan bawb a oedd wedi ymateb i'n hapêl a bu'n ymchwilio hefyd yn yr archifdai sirol a'r Llyfrgell Genedlaethol. Bu wrthi am fisoedd yn teithio 'nôl a mlaen ar hyd a lled Cymru; casglodd swmp o lythyrau a lluniau, a mawr yw fy niolch iddo am ei lafur. Gwn fod llawer o'r llythyrau a ddaeth i law wedi cyffwrdd ynddo, a'i bod hi'n bwysig iddo ein bod yn llunio cofeb deilwng i'r hogiau a aberthodd gymaint. Gobeithio'n wir inni lwyddo.

Wedi iddo gwblhau ei waith, dechreuais innau saernïo sgriptiau'r gyfres deledu a gwneud tipyn o ymchwil fy hun, gyda chymorth fy nghyd-weithwyr yn Cwmni Da: Angharad Elwyn a Siaron James. Bu Iwan Hughes hefyd o gymorth mawr, a dwi'n ddiolchgar dros ben iddo am fod mor hael efo'i sgiliau ymchwil a'i wybodaeth fanwl am y cyfnod.

Wedi'r sgriptio a'r ffilmio, dyma weld fod 'na sail i'r gyfrol bresennol, a diolch i Wasg Carreg Gwalch am eu diddordeb a'u cefnogaeth. Dwi'n ddiolchgar iawn i Lyn Ebenezer am ysgrifennu cyflwyniad ac am ymgymryd ag addasu'r sgriptiau teledu; diolch iddo hefyd am ganiatáu imi ychwanegu mor helaeth at ei addasiad yntau. Roedd llawer o bethau na ellid eu cynnwys yn y sgriptiau gwreiddiol oherwydd cyfyngiadau ar hyd y rhaglenni, ond cytunwyd mai trueni fyddai eu hepgor o'r llyfr hwn.

Roedd tua 25 o bapurau wythnosol Cymraeg fel *Y Seren* yn cael eu cyhoeddi rhwng 1914 a 1918, a chyfran yn unig ohonyn nhw y llwyddais i'w darllen. Rhyw lyfr lloffion o beth yw'r gyfrol hon, ac nid cyfrol academaidd mohoni. Er hynny, byddai'n braf meddwl y gallai fraenaru'r tir ar gyfer menter o'r fath. Codi cwr y llen ar y cyfoeth sydd yn yr archifdai ac mewn dwylo preifat a wneir yma, gobeithiaf.

Un o nodweddion hyfrytaf llyfr lloffion yw'r croestoriad o ddeunydd a geir ynddo. Nid oes rhaid esbonio'r rheswm dros ddewis y tamaid hwn neu'r hanesyn arall. Serch hynny, rhag imi ymddangos yn hollol fympwyol, gair o eglurhad am rai o'r dewisiadau a wnaed wrth lunio'r gyfrol hon.

Efallai yr ymddengys i mi beidio â rhoi'r sylw dyledus i'r Llynges a'r Llu Awyr yn yr hanes hwn. Y rheswm syml dros hynny yw mai prin yw'r llythyrau o'r Llynges a'r Llu Awyr a ddaeth i'm dwylo – mawr obeithiaf fod trysorau eraill 'allan yna' ac y cânt eu cyhoeddi yn fuan, ond dyna'r rheswm dros esgeuluso hanes glewion y môr a'r awyr yn y gyfrol hon.

11

Bydd darllenwyr hefyd, efallai, yn canfod bod mwy o sylw i filwyr o'r gogledd nag o'r de. Eto, nid o fwriad y gwnaed hyn; mater o weithio efo'r hyn a ddaeth i law ydoedd. Gyda chymaint o ardaloedd mor gryf eu Cymraeg yn y de a'r gorllewin, yn y cyfnod hwn ac hyd heddiw, mae'n anodd esbonio'r diffyg cytbwysedd hwn. Un ffactor yw'r ffaith fod y rhan fwyaf o'r papurau wythnosol Cymraeg yn cael eu cyhoeddi yn y gogledd, ac mae cryn hanner y deunydd yn y gyfrol hon wedi ei godi o lythyrau a gyhoeddwyd mewn papurau newydd, yn hytrach nag o lythyrau a gadwyd mewn casgliadau preifat neu yn yr archifdai.

Gellid honni bod yr hanes a geir yma fel petai'n gorbwysleisio cyfraniad y Cymry a milwyr Prydain ar draul eu cynghreiriaid – ond, wedi'r cyfan, llyfr am brofiad milwyr Cymraeg eu hiaith yw hwn.

Mae'r llyfr yn dilyn strwythur cronolegol ar y cyfan, ond wrth ymhél â themâu penodol, ceir dyfyniadau o gyfnodau eraill; felly, wrth drafod ysbytai ym Mhennod 4 (1917), er enghraifft, ceir dyfyniadau o 1914 a 1916 yn ogystal â'r flwyddyn dan sylw.

Gydag enwau lleoedd tramor, defnyddiais y ffurfiau a oedd yn cael eu harfer ar y pryd yn hytrach na'r ffurfiau cyfoes; felly, 'Passchendaele' a 'Poperinghe' yn hytrach na 'Passendale' a 'Poperinge'. Yr unig eithriad i hyn yw defnyddio 'Ieper' yn lle'r ffurf Ffrengig 'Ypres', sydd mor gyfarwydd i'r sawl sydd wedi astudio'r Rhyfel Mawr. Ond gan fod Ieper yn ddinas Fflemeg ei hiaith, a'r hen ffurf Ffrengig wedi ei disodli'n llwyr ar arwyddion yr ardal, fedrwn i ddim arddel Ypres yn y gyfrol hon, mwy nag y gallwn arddel Port Dinorwic ar draul y Felinheli!

Mae 'na gryn amrywiaeth yn iaith y llythyrau; mae llawer ohonyn nhw wedi eu hysgrifennu'n goeth ac yn frith o derminoleg sy'n lled ddieithr inni bellach, fel 'tanbelennau' ac 'Ellmyn'; eraill wedyn yn 'fwu llafar i naws' (a'u sillafu!) ac yn defnyddio geiriau fel 'shells' a 'Germaniaid'. Mae'r cyfan wedi ei adael fel y cafodd ei ysgrifennu neu ei gyhoeddi yn wreiddiol, ac eithrio lle bo hynny'n debygol o beri dryswch.

Y syndod mwyaf, efallai, oedd sylweddoli bod pedigri hwy nag y tybiwn i ambell fenthyciad o'r Saesneg! Gan filwr o Landdewibrefi, cawn 'tipyn o "fun" fuasai hynny'; gan filwr arall o Bandy Tudur y gair 'blwndrodd' (blundered); a chan hogyn a fu yn y Llu Awyr yr ymadrodd 'dyna'r stwff – ynte!' Ond waeth beth yw'r cywair ieithyddol, mae gonestrwydd y disgrifiadau ar adegau'n ysgubol, fel hwn gan William Thomas Williams o Lanllechid:

Nid oes croen ar y tir yn unman, ac y mae fel pe baech yn byw mewn cae tatws gwlyb ar hyd y dydd. Nid gwlŷdd tatws welwch yn ymgodi o'r ddaear yma, ond coesau a phennau dynion. Ar ol y rhyfel bydd yma lê da am gnwd o datws, oblegid ar ochr y bryn yma mae ugeiniau o gyrph pydredig, sef gweddillion y dynion na chawsant eu claddu yn y brwydrau ffyrnig.

• • •

Yn olaf, felly, diolch yn galonnog i'r canlynol:

i S4C am gefnogi'r prosiect teledu, ac i Lowri Gwilym yn benodol am ei chymorth a'i sylwadau adeiladol;

i Gareth Owen, Barry Jones ac Aneurin Thomas am rannu'r daith ffilmio, ac i Steve Frost am rannu'r daith hirach o lawer drwy'r broses olygu!

i Paul Sargent a Corinna Reicher yn Archif Ffilm yr Imperial War Museum;

i Gruffudd am helpu i ddidoli'r lluniau;

ac i Wyn Thomas am wthio'r cwch i'r dŵr ac am ymweld

13

â'r holl bobl isod a ymatebodd i'n cais gwreiddiol am gymorth. Diolch ichi i gyd am fod mor fodlon rhannu eich atgofion, eich lluniau a'ch llythyrau teuluol:

Megan Williams, Bodffordd; Megan Lloyd, Pentraeth; Mair Williams, Marian-glas; Sarah Pritchard, Llangefni; William Page Williams, Will Martin, Ron Evans ac Anwen Hughes, Pwllheli; Vivian Parry Williams, Bleddyn Jones ac Emyr Hughes, Blaenau Ffestiniog; Rhiannon Jones, Tanygrisiau; Geraint Vaughan Jones, Llan Ffestiniog; Tudor Ellis, Y Groeslon; John Elwyn Hughes, Bethel; Y Parch. Clive Hughes; Y Parch. William Owen Jones, Tyllgoed, Caerdydd; Elwern Jones, Y Rhyl; Einir Williams a Llinos Angharad, Caernarfon; Olwen Jones, Llanbedr, Harlech; Meira ac Elwyn Jones, Tal-y-bont, Dyffryn Conwy; Gwyneth Jones, Llanrwst; Bobi Owen, Arthur Davies ac Alun Rawson Williams, Dinbych; Olwen Warmsley, Aberhonddu; Lowri Roberts, Porthmadog; Peter Denzil Edwards, Hwlffordd; Harry Jones, Ysbyty Ifan; Diane Roberts, Llangernyw; Ann Lloyd, Deiniolen; Myfanwy Jones, Talysarn; Ruth Edwards, Pen-y-groes; Aerwyn Beattie, Pentrefoelas; Anita Butler, Llanfairfechan; Hafina Clwyd, Rhuthun; Gwyn Jones, Llanefydd; Merfyn ac Eira Roberts; Richard Davies a Dafydd Wyn Jones, Machynlleth; Elin Meredith, Bangor; Capten D. A. Davies, Bodedern; Beti Thomas, Llandudno.

Os anghofiais enw rhywun, ymddiheuraf yn fawr.

Yn olaf un, diolch i Bethan, Lowri, Gruffudd, Gwion a Rhys am eu hamynedd a'u cefnogaeth yn ystod fy mynych absenoldebau yn y misoedd diwethaf.

Ifor ap Glyn
Tachwedd 2008

Pennod 1

Cofio'r Rhyfel ... yn Gymraeg

Pentref bach digon dinod yn Picardi yw Mametz – tua ddau ddwsin o dai ac eglwys. Ar wal y fynwent filwrol Brydeinig y tu allan i'r pentref ceir y gerdd fach syml hon:

> Er y pellter nid ânt
> Ni all pellterau eich gyrru yn ango,
>   Blant y bryniau glân,
> Calon wrth galon sy'n aros eto
>   Er ar wahân.
>
>   (Hedd Wyn)

Rywsut, dydyn ni ddim yn disgwyl gweld cerdd Gymraeg wedi ei cherfio ar wal yn Ffrainc. Ar wal Eglwys Mametz mae arysgrif Gymraeg arall yn coffáu milwyr o Gymru, ac ar y groesffordd yng nghanol y pentref mae yna arwydd Cymraeg yn cyfeirio ymwelwyr at gofeb Gymreig arall. Profiad anghyfarwydd yw gweld geiriau ein hiaith mewn gwlad arall, ond mae'n hollol addas eu bod nhw yno. Oherwydd yn ystod y Rhyfel Mawr fe ymladdodd cannoedd o filoedd o Gymry, a bu farw llawer ohonyn nhw yn Ffrainc.

• • •

Rhyw 70 milltir i'r gogledd o Mametz mae dinas Ypres yng Ngwlad Belg, neu Ieper yn iaith y trigolion. Os sefwch ar sgwâr y ddinas ac edrych o'ch cwmpas, fe welwch y gadeirlan ganoloesol a Neuadd y Marsiandïwyr Brethyn, ac adeiladau hardd, hynafol ar bob llaw. Neu dyna'r argraff a geir. Ond adeiladau 'newydd' ydyn nhw, bob un. Anodd credu sut olwg oedd ar y lle 'ma 90 mlynedd yn ôl. Bu'r ddinas yng nghanol yr ymladd am bedair blynedd a gadawyd y lle yn llanast llwyr. Awgrymodd Winston Churchill y dylid cadw'r lle fel yr oedd, yn adfeilion i gyd, yn gofeb barhaol i'r cannoedd o filoedd a fu farw er mwyn amddiffyn y ddinas.

Ond mynnodd pobl Ieper godi'r hen le yn ei ôl, ac anodd credu bellach i ryfel fod yma erioed. Nid yw hyn yn golygu bod y rhyfel yn angof yma. Ddim o bell ffordd.

Mae cofio'r rhyfel yn ddiwydiant yn Ieper. Bob blwyddyn, mae 300,000 o bobl yn ymweld â'r mynwentydd a meysydd y gad yn ardal Ieper yn unig, ac mae 'na nifer o amgueddfeydd yn darparu ar eu cyfer, er enghraifft, amgueddfa In Flanders Fields.

Pam y fath ddiddordeb yn y Rhyfel Mawr o hyd? Ymddiddori yn hanes ein cyndadau? Efallai. Trio gwneud synnwyr o'r fath wastraff bywyd? Digon posib. Ynteu ydyn ni fel rhyw adar corff yn dod 'nôl dro ar ôl tro at yr un hen esgyrn? Un peth sy'n sicr – does yna ddim byd yn newydd yn hynny.

Dyma beth oedd gan olygydd *Y Brython* i'w ddweud, 'nôl ym 3 Medi 1914:

(M)ae'r Cymry, yn codi'n fore hyd yn oed yn y parthau mwyaf gwledig a diarffordd i gythru am bapur Saesneg ac ynddo'i lond at yr ymylon o gigyddiaeth a gwaed, a hwnnw'n cael ei ddarllen, yn enwedig y rhanau erchyllaf a thebycaf i uffern ynddo, gydag awydd ac awch na welwyd mo'i debyg erioed wrth ddarllen pethau gwell a Beiblaidd. Ond hawdd y gellir maddau iddynt, canys ni fu erioed gyflafan a chymaint yn crogi wrthi a hon, er gwell ac er gwaeth.

Doedd dim rhaid 'cythru am bapur Saesneg' i dderbyn newyddion o'r fath; y gwir yw fod yna ddigonedd o bapurau wythnosol Cymraeg, fel *Y Brython* ei hun, a oedd yn dilyn hynt y rhyfel hefyd 'gydag awydd ac awch'.

Roedd 'na 25 ohonyn nhw yn 1914, a digon o 'gigyddiaeth a gwaed' ar dudalennau'r rheini yn reit aml hefyd!

Roedd hi'n arfer gan y rhan fwyaf ohonyn nhw gyhoeddi llythyrau gan filwyr, felly mae llawer o dystiolaeth uniongyrchol am fywyd bob dydd ar faes y gad wedi ei chadw inni yn y papurau hyn. Dyma beth oedd gan un o'r milwyr cyffredin oedd yn brwydro yng Ngwlad Belg i'w ddweud mewn rhifyn arall o'r *Brython*:

Gorchmynnir i ni danio pan glywom y symudiad lleiaf, a gwna y Germaniaid yn yr un modd. Er ein bod mor lluddedig methwn a chysgu, oherwydd trwst didaw y gynnau drwy gydol y nos ... a thua un ar ddeg, daw gair oddi wrth y gwyliedydd fod y gelyn yn ymdrechu croesi'r Yser, a chymerwn ein safle i'w ymladd. Digwydda'r frwydr mewn tywyllwch dudew; saethwn yn ddiarbed i'r duwch o'n blaenau, ac ymhen rhyw ddwyawr llwyddwn i rwystro'r gelyn ac i'w yrru'n ol. Pan dyr y wawr, gwelwn gyrff deg a thrigain neu gant o Germaniaid, y rhai a bydrant eto ac ffieiddiant yr awyr ymhen ychydig. Nid oes gennym ond un fysgedan i'w bwyta y bore hwn ... Y mae arnom syched angerddol ... Y mae yn awr ... dri diwrnod er pan gawsom ddiod. Yfwn y dŵr lleidiog o'n cwmpas. Daliwn ein geneuau i'r glaw; ie, llyfwn ganteli ein capiau!

Honna rhai nad oedd y Rhyfel Mawr yn gynhyrchiol iawn o ran llenyddiaeth Gymraeg, ac mae sawl beirniad llenyddol wedi gresynu na fu i ragor o gerddi a nofelau a dramâu ddeillio o'r profiad, yn enwedig o gofio fod cynifer â 100,000 o Gymry Cymraeg wedi ymladd yn y rhyfel.

Ond roedd yn gyfnod cynhyrchiol dros ben o ran llythyrau. Mae 'na gannoedd ohonyn nhw mewn casgliadau teuluol, archifau sirol, a llawer hefyd wedi eu cadw i ni yn y papurau newydd. Y llythyrau hyn yw'r cofnod llawnaf sydd gennym o brofiad y milwr Cymraeg

– y rhain yw 'Gododdin' y Rhyfel Mawr.

Aeth 90 mlynedd heibio ers diwedd y rhyfel, ac mae'r genhedlaeth a brofodd erchyllterau'r rhyfel hwnnw bellach wedi darfod o'r tir. Ond mae eu lleisiau i'w clywed o hyd, yn eu llythyrau, eu dyddiaduron, a'u herthyglau papur newydd. Mae 'na gyfoeth o dystiolaeth yn Gymraeg wrth i'r milwyr hyn geisio rhannu eu profiadau efo'u teuluoedd a'u ffrindiau. Ac yn y pen draw efo ni.

Bwriad y gyfrol hon, fel y gyfres deledu o'r un enw, yw rhoi hanes y Rhyfel Mawr … yn eu geiriau nhw.

Pennod 2

'Y mae cymeryd trenches yn golygu llawer'

1914–15

Ond sut ddechreuodd y rhyfel ofnadwy hwn? Mae perthynas gythryblus gwahanol wladwriaethau Ewrop a'i gilydd yn y blynyddoedd cyn 1914 fel perfedd mochyn o gymhleth; ond dyma grynodeb syml iawn o'r sefyllfa. Ddiwedd Mehefin 1914, llofruddiwyd Franz Ferdinand gan genedlaetholwr Serbaidd. Gan mai Franz Ferdinand oedd aer teulu brenhinol Awstro-Hwngari, arweiniodd hyn, fis yn ddiweddarach, at ryfel rhyngddynt a Serbia.

Yn ystod yr wythnos ddilynol, aeth y rhan fwyaf o wledydd Ewrop i ryfel fel rhes o ddominos, oherwydd cytundebau a wnaed flynyddoedd ynghynt. Roedd yr Almaen ac Awstro-Hwngari wedi cynghreirio â'i gilydd ar y naill law, a Ffrainc, Rwsia a Phrydain ar y llall, gyda Rwsia yn awyddus i achub cam Serbia. Doedd yr Almaen ddim yn credu y gellid ennill y rhyfel petaen nhw'n ymladd ar ddwy ffrynt; felly, oherwydd y byddai Rwsia'n arafach yn cael eu milwyr i faes y gad, bwriad yr Almaen oedd ymosod ar Ffrainc yn gyntaf, gyda'r gobaith o'u gorchfygu'n sydyn, fel y gellid troi eu byddinoedd tuag at y dwyrain wedyn i ymladd yn erbyn Rwsia. Gan fod y ffin â Ffrainc wedi ei hamddiffyn yn gadarn, cynllun yr Almaen oedd ymosod drwy Wlad Belg, er ei bod hi'n wlad niwtral. Roedd hyn yn annerbyniol gan lywodraeth Prydain.

Yn *Y Faner* ar 8 Awst 1914 ceir disgrifiad o'r hyn a ddigwyddodd wedyn:

Yr oedd yr olygfa'n eithriadol y tu allan i Balas Buckingham nos Fawrth, lle yr oedd torfeydd lluosog wedi ymgasglu i ddisgwyl am hysbysrwydd parthed y rhyfel gan ei fod yn ddealledig fod Prydain wedi gofyn i'r Almaen am attebiad i'w chais o berthynas i Belgium erbyn hanner nos. Daeth boneddiges allan o'r palas, a hysbysodd fod y Brenin yn cynal cynghor, ac fod y rhyfel wedi ei chyhoeddi. Derbyniwyd yr hysbysrwydd gyda banllefau uchel o gymeradwyaeth.

Roedd Huw T. Edwards yn aelod o'r milisia, sef y fyddin wrth gefn, ac felly cafodd ei alw i'r fyddin ar unwaith. Yn ei hunangofiant, *Tros y Tresi*, dywed:

Er ei bod yn gas gennyf adael Aber-fan a gadael anwyliaid, 'r oeddwn yn awyddus iawn i gael cyfle i'm profi fy hun o flaen y gelyn. Ein llong ni oedd y gyntaf i lanio yn Rouen ar y deuddegfed o Awst 1914.

Roedd R. Lloyd Davies o'r Parc, ger y Bala, yno hefyd gyda'r Ffiwsilwyr Cymreig:

Rhoddwyd i ni groesawiad gwresog gan y Ffrancwyr ... rhoddwyd ni ar y 'march', a buom yn cerdded am dros bymtheg awr ar hugain heb aros yn un man.

Roedd yr Almaenwyr yn prysur ddod i'w cyfarfod. Meddai golygydd *Y Darian* ar 3 Medi 1914:

Bellach gwyddom fod Germani wedi tywallt ei nerth trwy Belgium ac wedi ymosod ar ei gwrthwynebwyr gyda ffyrnigrwydd a chwerwder. Bernir fod bron yr oll o'i gwyr cymhwys i ryfel eisoes ar y maes.

Aeth byddin Prydain benben â'r Almaenwyr yn ardal Mons. Dyma'r hanes gan un o'r Ffiwsilwyr Cymreig yn *Y Clorianydd*:

Aethom i drap fwy na heb. Nid oeddym ond 6000 yn erbyn 30,000 ac heb ynnau. Daethant ar ein gwarthaf ganol nos cyn i ni gael amser i godi unrhyw gysgod. Rhaid oedd i ni ymladd a pharhau i gilio yr un pryd.

Ac meddai R. Lloyd Davies:

Gorchymynwyd i ni encilio o dan gawodydd o dan, ac encilio oedd ein hanes wedi hyn am naw neu ddeg niwrnod yn barhaus, a chollwyd llawer o ddynion ar ein taith – syrthiodd llawer i lawr wedi llwyr ddiffygio gan y daith, ac nis gallaf ddweyd beth ddaeth o honynt.

A Huw T. Edwards eto:

Ni chofiaf deimlo'r haul erioed mor danbaid ag a wneuthum ar y gwrthgiliad o Mons. Dynion yn cysgu ar gefn y meirch a'r gwŷr traed yn dal i fartsio yn eu cwsg.

Ac felly y bu nes iddyn nhw gael eu gyrru 'nôl at gyrion Paris, bron. Ond roedd y sefyllfa ar fin troi. Ddechrau Medi, a hwythau o fewn deng milltir yn unig i Baris, gwrthymosododd y Ffrancwyr a'r Prydeinwyr ar draws afon Marne. Tro'r Almaenwyr i gilio oedd hi nawr, fel yr adroddodd Sarjant Loftus yn *Yr Herald Cymraeg* ar 1 Medi 1914:

Safasom i'w derbyn yn yr hen ddyll, y rhengoedd blaenaf a'u bidogau allan a'r rhai olaf yn dal i saethu. Wedi ymdrech galed bu rhaid i'r gelyn gilio drachefn, a mynd yn frysiog hefyd a phan oeddynt yn meddwl eu bod allan o berygl daeth ein gwyr meirch ar eu gwarthaf gan dorri eu rhengoedd ymhob cyfeiriad.

Ond pan gloddiodd yr Almaenwyr ffosydd iddyn nhw eu hunain, gwelwyd yn syth nad oedd yr hen ddulliau o ymladd yn tycio dim yn erbyn gynnau peiriant oedd bron o'r golwg yn y ddaear. Felly, dechreuodd byddinoedd Ffrainc a Phrydain symud wysg eu hochrau mewn ymgais i ymosod ar y gelyn o'r ochr, ond fe wnaeth byddin yr Almaenwyr hwythau yr un fath. Yn ystod yr wythnosau dilynol bu'r ddwy ochr yn ochrgamu tua'r gogledd, gyda'r naill yn methu cael mantais ar y llall.

• • •

Erbyn Hydref 1914 roedd yr Almaenwyr wedi cyrraedd cyffiniau dinas Ieper yng Ngwlad Belg. Roedd cadfridogion Prydain yn benderfynol o ddal eu gafael ar y lle ac arweiniodd hyn at y frwydr gyntaf yn Ieper. Collwyd mwy o ddynion yma nag a wnaed yn yr ymgyrch flaenorol i gyd.

Roedd y South Wales Borderers a'r Royal Welsh Fusiliers ymhlith y dynion a aberthodd mor ddrud er mwyn atal yr Almaenwyr rhag cipio Ieper. Mewn un noson yn unig collodd y Ffiwsilwyr Cymreig 320 allan o 400 o ddynion. Roedd y Preifat William John Roberts o Gaernarfon yn ymladd gyda'r South Wales Borderers ger Ieper. Meddai yn *Yr Herald Cymraeg* ar 10 Tachwedd:

Daliodd y gelyn i ymosod arnom. Cawsom amser ofnadwy. Gwaethygai pethau. Gwrthsafasom eu hymosodiadau, a chawsom ychydig orphwys ac ysmoc. Gwnaethom cigarettes gyda dail te ac ychydig bapur newydd. Gorweddasom i lawr, ond nid oedd yn beth braf. Roedd ein dillad yn wlyb a'r tywydd yn oer. Yn sydyn dyma'r bwledi yn chware o'n cwmpas. Y funud nesaf dychrynwyd fi a meddyliais fod fy nghoes wedi ei chwythu i ffwrdd. Mewn dychryn rhois fy llaw i lawr i edrych a oedd fy nghoes yno. Yn hwyrach gwelais fod bwled wedi mynd drwy fy nghoes ac wedi cymeryd ymaith hanner gwadn fy esgid. Llusgwyd fi o'r lle.

Er iddo gael ei anafu, roedd yn llawn hyder o hyd am hynt y rhyfel:

Yr ydym wedi diodde llawer, ond mae rhywun yn anghofio ei drafferthion yn fuan. Mae rhai ohonom yn siarad am gael ciniaw Nadolig yn Berlin. Mae ambell un arall yn barod i roi swllt i lawr y bydd y rhyfel drosodd cyn y Nadolig.

• • •

Ond pa Nadolig tybed? Erbyn hyn roedd y ffosydd yn ymestyn yn ddi-dor o draethau Gwlad Belg yr holl ffordd i fynyddoedd yr Alpau a ffin y Swistir. Cyn y gellid meddwl am gael cinio yn Berlin, byddai'n rhaid yn gyntaf dorri drwy ffosydd ac amddiffynfeydd yr Almaen. A methwyd â gwneud hynny am bron i bedair blynedd. Ceisiodd Robert Humphreys o Flaenau Ffestiniog esbonio pam mewn llythyr yn Y *Drych*:

Nid oes genych ddirnadaeth am dano. Ac ni fydd genych hyd nes y gweloch a'ch llygaid eich hunain. Y mae cymeryd trenches yn golygu llawer, maent wedi eu gwneud mor gadarn nes y mae bron yn anmhosibl.

A dyma ddisgrifiad Glyn Roberts o fywyd yn y ffosydd:

Wel y mae lle imi diolch am fy mod wedi cael fy arbed hyd yn hyn eto mewn lle y mae llawer o fy anwyl cyfeillion wedi eu cymmeryd maith ond te. Yr ydwyf yn agos iawn ir gelyn o hyd mewn 25 yards i trenches y gelyn ... felly mi ellwch feddwl sydd [sut] y mae arnom yn amal. Y mae yn rhaid i ni gadw ein pennau i lawr yma fel y glwsoch mwn neu fydd y German Sniper wedi cael golwg arnoch ac os gaiff o olwg arnoch mi fydd wedi darfod arnoch.

A hyd yn oed petai'n llwyddo i osgoi bwledi'r Almaenwyr, roedd 'na broblemau eraill yn wynebu'r milwr cyffredin wrth fyw mewn tyllau yn y ddaear.

Dyma Robert Humphreys eto:

Y mae yma elynion heblaw y Germans, sef llygod, ac y
maent agos gymaint a chathod ein gwlad ni … Y mae yma
filoedd o honynt, ac y maent yn rhedeg drosom yn y nos,
ac yn wir yn treio cael tamaid o fodiau ein traed. Lawer
noson y byddwn yn eu lluchio oddiar ein breichiau nes y
byddant yn clecian yn erbyn y pared.

Ymateb yn ddigon stoicaidd i hyn oll a wnaeth Glyn
Roberts:

Y mae yma digon o fwd a dwr yma hefyd, yr ydwyf wedi
gweled rai dat eu pennau gliniau mewn dwr am oriau
felly hefyd. Nid ydwyf yn gwybod sydd [sut] mae rhai yn
dal y fath beth … pan fydd y gynau mawr wrthi y mae yn
ofnadwy – digon a drysy rhiw un ond yr ydwyf yn
gynefino a hwynt trwydd y gwbl.

Dyma oedd gartref i filiynau o ddynion erbyn diwedd
1914; ac wrth i'r gynnau mawr wneud eu gwaith, byddai
angen miliynau o ddynion newydd i gymryd eu lle dros
y pedair blynedd nesaf.

• • •

Ar ddechrau'r rhyfel, penodwyd y Cadfridog Kitchener
yn Ysgrifennydd Gwladol dros Ryfel. A thra oedd eraill
yn sôn y byddai'r cyfan drosodd erbyn Nadolig 1914,
roedd Kitchener wedi rhag-weld y byddai'r rhyfel yn
parhau am o leiaf dair blynedd ac y byddai angen
recriwtio byddin newydd gyfan er mwyn gorchfygu'r
Almaen.

Beth, tybed, fyddai barn y Canghellor, David Lloyd
George, a oedd wedi bod mor llafar ei wrthwynebiad i'r
rhyfel yn Ne Affrica rai blynyddoedd ynghynt? Daeth
4,000 o bobl i wrando arno'n areithio i'r Cymry yn

Llundain yn y Queen's Hall, Langham Place, ar 19 Medi 1914, ac roedd yr hyn a oedd ganddo i'w ddweud o ddiddordeb i'r genedl gyfan.

Dyma ymateb golygydd *Y Darian* ar 24 Medi:

Torrodd Mr. Lloyd George ar ei ddistawrwydd o'r diwedd mewn araith fythgofiadwy o blaid y rhyfel yn y Queen's Hall, Llundain ... Canwyd marchog Iesu etc ar ddiwedd y cwrdd. Ffrwyth ei genhadaeth ef at Gymry Llundain yw fod y Swyddfa Rhyfel wedi derbyn gyda chymeradwyaeth y cynnig i gael ynglyn a Byddin Prydain Gorfflu Cymreig cyflawn yn rhifo o leiaf deugain mil ... Gofynnwyd barn y Cadfridog Lloyd ar y symudiad hwn, ac ar gymwysterau'r Cymry i ymladd. 'Cymwysterau i ymladd,' ebai yntau, 'onid Cymro wyf fi. Nhw ymladdant fel y d—l ei hun.'

Roedd Dafydd Jones o Landdewibrefi yn un o'r miloedd a ymatebodd i'r alwad, ond gan ei fod yn dal ar ei flwyddyn olaf yn y coleg yn Aberystwyth roedd yn amlwg yn poeni am ymateb ei deulu. Mewn llythyr diddyddiad at ei fam, dywed:

Anwyl Fam,

Nis gwn yn iawn sut i gychwyn y llythyr yma, gwelwch ar unwaith fy mod wedi gadael Aberystwyth fel yr oeddech yn ofni. Dywedaf ar unwaith mai dyma y tro anhawsaf erioed i ysgrifenu attoch ond credaf pe baech yn fy esgidiau na wnaech ond cymeryd yr un cam a wnes i.

Buasai bywyd yn Aberystwyth ar ol yr wythnos hon yn druenus. Yr unig ddau wir ffrynd oedd gennyf wedi gadael a'r milwyr yn dod i Aberystwyth dydd Mercher. Gwelwch y buasai gwaith yn amhosibl. Mae yn beth rhwydd i chwi yn y wlad i gadw swn yn erbyn y rhai sydd yn barod i arberthu er mwyn cadw ein gwlad mewn safle gysurus, cofiwch da chwi fod y wlad hon bob munyd yn disgwyl yr Almaenwyr i lanio yma, wedi hyny ni fyddem ond fel y Belgians drueiniaid a'u cartrefi wedi eu rhwygo. Credaf ymhellach y buasai'n well genych golli un mab na cholli'r holl deulu. Nid ydwyf wedi gwneud dim er dianrhydeddu chwi fel mam a thad a theulu ond yn hytrach credaf fy mod wedi codi parch i chwi. Ni wnawn fynd fel soldiwr cyf[f]redin; fel officer yr wyf yma ac yn derbyn y parch mwyaf gan bawb – yn berffaith gysurus oni bae am un peth, a hwnnw yw y ffaith fy mod yn llwfr oherwydd credaf fy mod wedi eich siomi.

... nid oes eisiau i chwi ofni dim ynghylch fy negree. Mae'r awdurdodau wedi addaw rhoddi degree i bob un fuasai yn gorffen y flwyddyn hon.

Gwelais Lewis a Powell yn Aberystwyth ac yr oedd y ddau yn fy nghynghori i i fynd; y bydd yn llawer iawn haws cael job ar ol y rhyfel os buaswn wedi cymeryd swyddogaeth ac yr wyf fi o'r unfarn fy hun.

Wel nid oes rhagor heddyw ond erfyniaf arnoch unwaith eto ar i chwi gymeryd yr un olwg a mi am y cam yr wyf wedi gymeryd ...

Cofion cynesaf attoch oll gan obeithio eich gweld oll Nadolig.

Oddiwrth

Dafydd

Erbyn hydref 1914, gyda dynion fel Dafydd Jones yn ymrestru yn rhengoedd y fyddin Gymreig newydd yn eu miloedd, roedd yn rhaid cael hyd i lety ar eu cyfer nhw, a hynny ar fyrder. Ble well na threfi glan môr y gogledd: Llandudno, Bae Colwyn a'r Rhyl, lle'r anfonwyd Dafydd Jones a gweddill bataliwn y 10th Welsh Regiment.

Roedd 'na ddigon o welyau ar gael yn y trefi glan môr hyn a gwnaed cytundeb manwl gyda pherchenogion y gwestai ynglŷn â'r bwyd y dylid ei ddarparu i'r milwyr:

For hot dinner – One pound of meat previous to being dressed, or the equivalent in soup, fish and pudding, eight ounces of bread, eight ounces of potatoes or other vegetables, one pint of beer, or mineral water of equal value.

Mae'r cyfeiriad at gwrw'n ddiddorol, oherwydd tra oedd y milwyr yn aros yn nhrefi glan môr y gogledd, roedd y tafarnau lleol yn cael eu gorfodi i gau'n gynnar bob nos rhag i'r milwyr feddwi.

Roedd 'na drefn ar bob dim, hyd yn oed faint yr oedd pobl y gwestai yn cael ei godi. Roedd bwyd a llety yn costio hanner coron y diwrnod am bob milwr, ac yng ngwesty'r Wilton yn Llandudno yr oedd pencadlys y Cadfridog Owen Thomas.

Hanai Owen Thomas o Ynys Môn ac roedd wedi gwasanaethu gyda Kitchener yn Rhyfel y Boer. Roedd wedi codi catrawd newydd i ymladd yno, ac felly, i Lloyd George, ef oedd y dewis naturiol i arwain yr ymgyrch recriwtio ar gyfer y fyddin Gymreig newydd.

Dyma hysbyseb nodweddiadol o'r cyfnod a ymddangosodd ar dudalennau'r *Clorianydd* ar 30 Medi:

I RAI SYDD EISIAU GWASANAETHU EU GWLAD
APEL AT DDYNION IFANC MON
I ymuno a'r

Royal Welch Fusiliers
Mae ychwanegiad o 500,000 o ddynion at Fyddin Rheolaidd Ei Fawrhydi yn eisiau ar unwaith yn yr argyfwng gwladol pwysig presennol.
AMODAU GWASANAETH
Gwasanaeth cyffredin am yr amser y parha y Rhyfel yn unig
Oed yn ymuno – 19–35
Cyn-Filwyr Rheolaidd 19–45
Height 5ft 6in Chest 35ins.

Rhaid iddynt fod yn ddynion cryf a iach
Rhoddir cynorthwy ar wahan i Wragedd a Phlant

Dynion yn ymuno am yr amser y parha y rhyfel – caiff y rhai
hynny eu rhyddhau mor fuan ag y bydd modd ar derfyn y rhyfel,
os na ddymunant aros yn y Fyddin

Sut i ymuno
Dylai rhai fwriadent ymuno ymofyn a'r Heddgeidwaid neu'r
Llythyrdy neu yn y Swyddfeydd Milwrol canlynol:-

Menai Bridge: Water Street
Beaumaris: Barracks
Holyhead: 72 Market Street
Llangefni: Memorial Institute
Llanerchymedd: Police Station
Amlwch: Police Station

Col. Dixon, Menai Bridge
Capt. Wyatt, do.
Recruiting Officers

DUW GADWO'R BRENIN

Aeth Owen Thomas ati i recriwtio'n ddiflino, gan gynnal
150 o gyfarfodydd rhwng Awst 1914 a Mehefin 1915.
Roedd ei sloganau'n rhai syml ac uniongyrchol:

'Nid wyf yn ymbil arnoch i fynd; ymbiliaf arnoch i ddod,
oherwydd yr wyf i yn mynd.'

'Fechgyn Cymru! Byddwch deilwng o'r gwroniaid gynt.'

Roedd Thomas mor effeithiol yn ei recriwtio fel bod y

gwirfoddolwyr yn cyrraedd yn gynt na'r offer ar eu cyfer! Cadarnheir hyn gan William Jones-Edwards yn ei hunangofiant, *Ar Lethrau Ffair Rhos*:

Am wythnosau ym Mae Colwyn bûm yn drilio mewn bowler hat ac yn fy siwt fy hun ac yn defnyddio coes brws yn lle dryll.

Yr un oedd y stori yn y Rhyl gyda bataliwn David Jones, y 10th Welsh Regiment. Am wythnosau, wrth fartsio ar hyd y Stryd Fawr, yn eu dillad eu hunain yr oedden nhw. 'Nid oes tebygolrwydd y cewn weled Germans byth,' meddai. 'Nid oes neb or dynion wedi cael uniforms eto.'

Roedd dilladu byddin newydd mor niferus yn dipyn o gontract. Bu raid prynu dwy filiwn o barau o sgidiau mawr o Ganada, a chyn diwedd y rhyfel byddai melinau gwlân a ffatrïoedd lledr Cymru i bob pwrpas yn gweithio i'r lluoedd arfog er mwyn cyflenwi'r angen. Gwnaed *jerkins* ar gyfer gwisg gaeaf i'r milwyr yn y Drenewydd a Llanidloes, a helmedau a siacedi ar gyfer peilotiaid yn Wrecsam a Llanrwst.

Ond roedd angen mwy nag iwnifform i droi dyn yn filwr, fel y tystiodd Tom Nefyn Williams yn *Yr Ymchwil* :

Aelod ifanc o'r Eglwys oeddwn innau pan euthum i'r fyddin, y crwsad hwnnw oedd i achub gwlad fechan Belg o afaelion militariaeth Prwsia ac i sicrhau i'r holl fyd ddyfodol democrataidd a heb ryfel. Yr oedd y dull o fyw yn un hollol ddieithr, fel pe bawn wedi fy lluchio i blaned arall.

Ac meddai Robert Lloyd Jones:

Yn yr amser yma y cefais draining pur galed … Sut i ymladd a gelyn, sut i'w agor yn ddau bob dull a modd.

A Tom Nefyn Williams eto:

Cerddid milltiroedd; ac wrth ymarfer â bidogau crochweiddid, a rhuthrem ar sacheidiau o wellt nid annhebyg i ddynion. Elem yn fynych i goeg frwydro ar draws caeau.

Roedd Robert Lloyd Jones yn ddysgwr cyflym:

Nid oeddwn yn y fan yma yn hir nad oeddwn ar y L. G. [Lewis Gun] [ac] wedi cael cyfran o addysg ar y L. G. ... awd a ni i rhyw fryniau ac yna y taflais yr hand grenade cyntaf. Wedi hyn yr oeddwn yn barod i fynd i Active Service unrhyw ddydd.

• • •

Wrth i'r milwyr newydd gael eu hyfforddi yng Nghymru, roedd yr ymladd yn parhau, wrth gwrs, yn Fflandrys a Ffrainc. Yn wahanol i ryfeloedd y gorffennol, doedd 'na ddim pall ar y cwffio yn ystod misoedd y gaeaf. Yn *Y Seren* mae Ieuan R. Jones yn gofidio am ei gyd-filwyr ar y ffrynt:

Mae'r eira wedi dod yma, ac y mae hi'n oer! Meddyliwch am yr hogiau yn y front line, heb na dug-out na dim i lechu, a'r eira'n dew ar y parapets, yn gorfod cysgu ar y 'firing step'. Druan ohonynt!

Gwnaeth pobl 'nôl gartref eu gorau i wneud y Nadolig, o leiaf, mor braf â phosib i'r milwyr yn y ffosydd. Anfonwyd 117 o dunelli o bwdinau Dolig atyn nhw, ond nid dyna pam y mae Nadolig 1914 yn cael ei gofio hyd heddiw. Yn *Y Dinesydd Cymreig* ar 13 Ionawr 1915 mae'r Preifat R. Morris o'r Fflint yn datgelu stori a oedd, ar y pryd, yn un ryfeddol:

Bydd pobl Prydain yn synnu clywed i'r milwyr Cymreig fod yn ysgwyd dwylaw gyda'r Germaniaid, ddydd

Nadolig, pryd yr aethom i gyfarfyddiad a'n gilydd hanner y ffordd rhwng y ffosydd. Rhoddodd y Germaniaid ddau faril o gwrw a swm o sigarets i ni, a dywedasant nad oedd arnynt eisiau ymladd, ond y gorfodid hwy i wneud. Ad-dalodd y milwyr Cymreig garedigrwydd y Germaniaid drwy roddi swm o 'jam' iddynt.

Yn yr un rhifyn o'r papur cawn dystiolaeth debyg gan y Preifat E. R. Bowden, Bangor:

Yr oedd y Nadolig yn ddiwrnod hynod yma. Nid oedd y ffosydd Germanaidd ond tua 80 [l]lath oddiwrthym, ac nid aeth dim ymladd ymlaen. Gwnaethom a'n gilydd i beidio ymladd a cherddasom 40 llath i gyfarfod ein gilydd rhwng y ffosydd, a chawsom ymgom ddifyr. Yr oedd ganddynt hwy ddigonedd o sigarets a meddem ninnau dunelli o fwyd, ac felly cawsom eu cyfnewid, a threuliasom diwrnod difyr. Ni fuasech byth yn coelio mai gelynion oeddym hyd gyda'r nos, pryd yr aethom i'n lleoedd a dechreu ymladd.

Diddorol yw cymharu hyn â'r agweddau 'nôl yng Nghymru, lle roedd mwy, os rhywbeth, o baranoia ynglŷn â'r Almaenwyr. Dyma hanesyn o'r *Darian*:

Cafodd cyfaill i ni brofiad rhyfedd mewn tref yng Ngogledd Cymru, trwy gael ei gymeryd i fyny fel German spy ... gydag wyth o filwyr arfog yn e[i d]dilyn ... Cymro iach yw y brawd sydd yn weinidog yn America ... Yr het a'r cantal llydan, y dillad Americanaidd, a'r synnu a'r syllu at adeiladau'r dref wnaeth y drwg.

Yn Llundain, cafodd fy mam-gu a'i theulu brofiad tebyg pan gawson nhw eu cloi yn eu tŷ gan blismon; doedd hwnnw erioed wedi clywed neb yn siarad Cymraeg o'r blaen, ac roedd yn meddwl mai sbiwyr Almaenig oedden nhwythau hefyd!

Ar ddechrau'r rhyfel, roedd pethau fymryn yn wahanol. Dyma olygydd *Y Darian* unwaith eto:

Aeth nifer o Germaniaid ac Awstriaid ... o waith Cwmni'r Mond, Clydach, yn ol i'w gwlad ar gychwyniad y rhyfel i ymladd yn erbyn y wlad y buont yn gweithio ynddi.

Y peth mwyaf trawiadol am y stori hon yw'r ffaith nad oedd neb wedi meddwl eu rhwystro rhag mynd! Ond buan iawn y newidiodd agweddau wrth i'r rhyfel fynd rhagddo. Yn *Yr Wythnos a'r Eryr* ar 9 Awst 1916 cyhoeddwyd yr hysbyseb ddwyieithog hon:

Aliens Restriction Act 1915: Registration Forms
For use in Hotels, Inns, Lodging Houses etc. Price 1/- per
100. May be had from Siop yr Eryr, Bala. Also registers,
2/6 each.
Dylai pawb sydd yn lletty dieithriaid ofalu fod y Forms
hyn ganddynt, a'u llanw yn briodol ar ddyfodiad
ymwelydd â'u tŷ. Y mae dirwy drom am esgeulusdra.

Wrth i'r rhyfel fynd rhagddo, dwysáodd y teimladau gwrth-Almaenig. Yn Queen Street, y Rhyl, roedd Almaenwr o'r enw Robert Fassy yn cadw siop dybaco a thrin gwallt. Roedd wedi bod yn byw yn y Rhyl ers dros ddeng mlynedd cyn y rhyfel, ond wnaeth hynny mo'i arbed pan ymwelodd torf â'i siop un noson o Fai yn 1915, a malu'r lle. Dyma ddisgrifiad Dafydd Jones o'r digwyddiad, mewn llythyr at ei fam:

Efallai eich bod wedi clywed ein bod wedi cael riots yma. Yr oedd tri neu bedwar o Germans yn byw yn y dref a nos Wener dechreuwyd torri eu tai yn yfflon. Yr oedd un yn cadw siop barber a thobacconist; torrwyd yr oll o'i eiddo yn dameidau ac erbyn heddyw mae'r cwbl wedi ei ystyllo i fyny. Cymerwyd y perchenog i'r Police Station er

Hugh Lloyd Williams
Listiodd ym Mhontypridd ar y
7fed o Awst 1914, un o'r Cymry
cyntaf i wneud hynny.

Thomas Evan Evans o Drefor
(ar y dde)
Ymladdodd yn Gallipoli: 'y mae
fy nhraed yn ddrwg iawn –
wedi eu taro gan rew – a'r
poenau yn fawr iawn.'

Griffith Henry Jones o Ysbyty
Ifan. Gweithiodd gyda'r Corfflu
Meddygol mewn nifer o ysbytai
yn Lloegr.

Lt. Henry Brynmor Jones
Treuliodd ddwy flynedd fel
carcharor rhyfel yn yr Almaen.

Cyfarfod recriwtio yn Ninbych

'Aethum i mewn i ryw ystafell lle yr oedd chwech o feddygon'
(Robert Lloyd Jones, Dinorwig)

34

*10th Lincolnshire Regt, y 'Grimsby Chums', Medi 1914 –
er nad oedd yr rhain, fel bataliwn WJ Jones Edwards,
wedi cael gwisgoedd, o leiaf roedd ganddynt ynnau.*

*Cadfridog Owen Thomas:
'Wellington y Fyddin Gymreig'*

Tom Nefyn Williams (ar y dde):
'...aelod ifanc o'r Eglwys oeddwn innau pan euthum i'r
fyddin...Yr oedd y dull o fyw yn un hollol ddieithr, fel pe bawn
wedi fy lluchio i blaned arall.'

Cadoediad y Nadolig 1914. Ploegsteert, Gwlad Belg:
'Rhoddodd y Germaniaid ddau faril o gwrw a swm o sigarets i ni,
a dywedasant nad oedd arnynt eisiau ymladd, ond y gorfodid
hwy i wneud.' *(R. Morris, Y Fflint)*

Royal Scots Fusiliers, Neuve Chapelle, 1915:
'...nid yw y private yn cael yr un chware teg. Rhaid iddo ef gysgu yn ei got fawr a'i got flew ar y firing step.' *(Capt. Dafydd Jones)*

Y masgiau nwy cyntaf, Mai 1915

Milwyr y Kings Own Scottish Borderers yn ymosod yn Cape Helles,
Gallipoli, 4 Mehefin, 1915

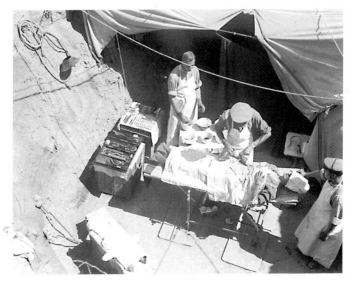

Trin y clwyfedigion, Gallipoli, 1915: '...nid oedd un man yn
ddyogel... a minau yn symud yn barhaus trwy'r dydd yn mysg y
gwahanol batteries a'r ysbytai sydd dan fy ngofal.'
(T. Carey Evans)

Ffos Almaenig a gipiwyd ger Ovillers, Gorffennaf 1916

Tri milwr wedi eu hanafu ym Molancourt, ger Albert, Gorffennaf 1916:
'...gwelais fod bwled wedi mynd drwy fy nghoes ac wedi
cymeryd ymaith hanner gwadn fy esgid. Llusgwyd fi o'r lle.'
(William John Roberts)

Lt. McDowell, un o'r dynion camera fu'n ffilmio Brwydr y Somme

Milwyr y Wiltshire Regt yn mynd dros y top ger Thiepval,
7fed Awst 1916
'Y mae cymeryd trenches yn golygu llawer, maent wedi eu gwneud mor
gadarn nes y mae bron yn anmhosibl…' (Robert Humphreys)

40

*Milwyr y Border Regt wedi agor llochesi i'w hunain yn ochr y ffos
yn ardal Thiepval, Awst 1916*

'Dugout' Almaenig yn Wailly ger Arras:
'Amlwg fod Fritz wedi cyflogi i aros am dymhorau yn y lle gan
fod... pob 'dug-out' yng nghrombil y ddaear wedi ei goedio a
phlanciau wyth modfedd o led wrth 3 i 3¹/₂ modfedd o drwch.'
(W.O. Hughes)

*13th Royal Fusiliers ar ôl
cyrch llwyddiannus yn erbyn
yr Almaenwyr:*
'daeth cwmniau i'n cyfarfod
yn orchuddiedig a llaid a
llwch; rhai yn gwisgo
penwisgoedd
Ellmynaidd...yr oll mewn
hwyliau uchel, yn canu yn
egniol...'
(W.O. Hughes)

Tŵr Eglwys Albert:
'yr oedd y ddelw o Fair
Forwyn...bellach...yn debyg
i fam yn bwrw ei phlentyn
i'r llawr. Arswydus o
ddameg!'
*(Lewis Valentine, Nadolig
1916)*

42

'yr oedd yn rhaid ini gerdded mewn mwd i fyny at
ein pengliniau i ddyfod at ddrws ein dugout' *(Ieuan R. Jones)*

'...a choeliech chwi byth cymmaint y mae y rhoddion hyn oddi-
cartref yn ein calonnogi. Pan yn bwyta y bara a'r ymenyn, byddaf
yn aml yn cau fy llygaid, ac yn dychmygu fy mod gartref.'
(W.T. Williams at ei rieni, 17.5.17)

ER SERCHOG GOF AM

Pte. Wm. Thomas Davies,

*Unig fab Mr. a Mrs. Thomas Davies, gynt o
Ddolfrwynog, Gwytherin,*

Yr hwn a gwympodd yn ei ieuenctyd ar faes y gwaed yn
Ffrainc, fel miloedd eraill o fechgyn Cymru,

YN 19 MLWYDD OED.

Serchawgrwydd fyn gael cofio
Am wyneb anwyl fu,
Yn llenwi cylch yr aelwyd lon
O fewn Dolfrwynog gu ;
Nid henaint llesg a'i dygodd,
Na chlefyd wnaeth ei frad,
Ond syrthio yn y fyddin wnaeth
Yn aberth tros ei wlad.

Mor drwm yw cofio'r diwrnod,
Gwae i ni ei wel'd erioed :
Pan roes efe ei ddwys ffarwel
Ar drothwy ugain oed ;
Chwiorydd dan eu dagrau
Roes lawn esboniad am
Gyfyngder mwy a losgai drwy
Galonau tad a mam.

Ar lanau'r Gledwen loew
Y cof am dano ef—
Anwylir megis coffa'r saint
Fu'n rhodio llwybr y Nef ;
Ei weddaidd ymarweddiad
A'i gariad at y gwir,
Arddelir gan gyfoedion hoff
O'i ôl am amser hir.

Mor drwm oedd gorfod marw
Yn mhell o Gymru wen,
Heb un perthynas gyda'i law
Yn cynal dan ei ben ;

Mewn gwarch-ffos ddidosturi
Ac angau ar bob llaw,
Yn troi bywydau dynion fyrdd
Drwy borth y byd a ddaw.

Sirioldeb byw ei lygad
A'r haul oedd yn ei drem,
Ddiffoddwyd gan losg-belen dost
Y'ngwres y frwydr lem ;
Os nad oes faen na chofeb
Yn nodi ei wely hedd,
Mae dagrau'r cwmwl ar ei rawd
Yn cofio am y bedd.

Edwino ar fynwes haf-ddydd
Wna'r blod'yn teca'i liw,
Ac aradr amser dyn ei gwys
Drwy bob prydferthwch gwiw ;
Ond aros heb heneiddio
Mewn bedd y'nghwr y coed,
Wna William Thomas anwyl mwy
Dros byth yn ugain oed.

Yn iach fy nai anwylaf
Os pell yw'r estron lawr,
Sy'n orchudd dros dy hawddgar wedd
Yn swn y frwydr fawr ;
Boed melus iawn dy gyntun
Nes gwawria dydd di-glwy
Dan belydr haul tragwyddol wyn
Heb son am ryfel mwy.

DANIEL CLEDWEN.

Taflen goffa William Thomas Davies, Gwytherin

44

'Yr wyf yn eistedd oddiallan gan ei bod mor braf, a thra yr wyf yn ysgrifennu mae brwydr ffyrnig yn myned ymlaen. Mae tanbelenau y gelyn yn disgyn o'n cwmpas ymhob cyfeiriad'

(W.T.Williams 29.4.17)

'Yr ydwyf wedi cael digon yn fy nghalon, fy anwylyd, ag nid ydwyf am gael gweled rhagor. Yr ydwyf yn ofnu bob eiliad taw y fi fydd yn cael drwg nesaf...'
(Sam Johnson at ei gariad, 4.5.17)

Johnny Jones, Pandy Tudur
(ar y chwith)
'Mae'n bwrw eira, rhewi a
meirioli yma bob yn ail dro
ers tua pythefnos bellach a
gwna dywydd fel hyn fywyd
yn y trenches yn dra anifyr, er
yr wyf fi yn cadw yn iawn.'
(Llythyr adre, 9.3.16)

Richard John Jones o Nefyn.
Anafwyd yn Nhachwedd 1917 a
bu'n rhaid torri ei fraich ymaith
o ganlyniad.

Robert Lloyd Jones
Chwarelwr o Ddinorwig.
Gwasanaethodd gyda'r
Ffiwsilwyr Cymreig yn Ffrainc.

Griffith Griffiths o Abererch.
Ymunodd â'r Cheshire Regt. yn
1917 a chafodd ei ladd yng
Ngwlad Belg, Hydref 1918.

Cerdyn yr
oedd Griffith
Griffiths yn ei
gario pan
laddwyd ef…

…a'r hyn
sgwennodd ei fam
ar y cefn wedyn.

yr oedd y Llun
yma yn Bocad
Griff Bach Pan
y Collodd ei
fywyd yn
Fraine Hydref
12 1918

Llythyr gan Griffith yn anfon ei gariad at ei deulu

Llun bedd Griffith Griffiths
Roedd lluniau beddau fel hyn yn bwysig i'r teuluoedd mewn oes lle na
allent fforddio teithio i'w gweld drostynt eu hunain.

diogelwch a phan glywodd y mob ei fod yno aeth ffenestri y lle hwnw yn yfflon. Buasai'n werth i chwi weld y mob yn gwthio. Bu pethau yn mynd ymlaen fel hyn am tua tair awr pryd y llwyddom i gael y cwbl i ymwahanu.

Gwely ynghylch dau o'r gloch. Credwyd y buasai yr unpeth yn digwydd neithiwr. Ond gan fod mil o filwyr ar duty hyd ddeuddeg llwyddwyd i gadw poppeth yn ddistaw. Wrth reswm yr oedd yn rhaid i ni'r officers fod gerllaw.

Roedd teimladau'n gryf iawn yn erbyn yr Almaen ar y pryd yn sgil suddo'r *Lusitania*, gyda llawer o wragedd a phlant ar ei bwrdd. Ac ychydig cyn hynny, yn Ebrill 1915, yn ardal Ieper, cafwyd tystiolaeth waeth o lawer pa mor ddiegwyddor y gallai'r Almaenwyr fod.

Milwyr o Lydaw a threfedigaethau Ffrainc oedd y cyntaf i wynebu arf newydd erchyll y gelyn. Ym mhentref Boezinge, lle digwyddodd hyn, mae croes Lydewig yn sefyll ar fin y ffordd. O dan y groes mae'r geiriau hyn mewn Llydaweg yn nodi mai yma y bu 'Ar c'hentan argad alaman gant aezhennou mougus' – yr ymosodiad Almaenig cyntaf gyda nwyon gwenwynig. Nhw oedd y cyntaf i gael eu mygu gan nwy.

Clorin oedd y nwy angheuol hwn, a oedd yn dinistrio'r ysgyfaint nes yr oedd rhywun i bob pwrpas yn boddi. Cyn diwedd y flwyddyn cafwyd ffosgen, sef fersiwn cryfach byth, ac erbyn 1917 defnyddid nwy mwstard, a oedd yn llosgi a dallu yn hytrach na lladd. Meddai golygydd *Baner ac Amserau Cymru* ar 8 Mai 1915:

Yr wythnos ddiwethaf cyrhaeddodd nifer o filwyr clwyfedig i Gaerdydd … Siaradent gydag arswyd am y nwyau gwenwynig a ddefnyddir gan y Germaniaid yn awr. Dywedai y preifat David Jones, o'r Canadian Light Infantry, iddo weld gwarchodffos yn llawn o Algeriaid oeddynt wedi eu lladd gan y peleni gwenwynig. Fel hen löwr gwyddai fod vinegar yn beth da, a thywalltodd y vinegar oedd ganddo mewn potel pickles ar ei gadach poced, a darfu i hyny ei arbed.

Cyn hir datblygodd mygydau nwy yn bethau mwy soffistigedig, â'r milwyr yn cael eu hyfforddi ynglŷn â beth i'w ddisgwyl. Roedd 'na hyd yn oed fygydau nwy ar gyfer y ceffylau. Afraid dweud beth oedd ymateb y wasg Gymreig i'r defnydd o nwy gan yr Almaenwyr. O dan y pennawd 'Ergydion o'r Cyfandir', dywed golygydd *Y Faner* ar 15 Mai:

Nid oes angen dweyd wrth ddarllenwyr y 'Faner' fod hyn yn rhwyg a sarhad anfaddeuol ar reolau rhyfel, ac yn waith na buasai ond anwariaid yn ymostwng i'w gyffwrdd, heb son am ei gyflawni.

Ond doedd byddin Prydain fawr o dro cyn talu'r pwyth yn ôl. Roedd Arthur Morris o Lanuwchllyn yn un o'r Royal Engineers a fu'n gyfrifol am wneud hyn. Meddai yn *Y Seren*:

Yr oedd genym wahanol ffyrdd i anfon y nwy gwenwynol i ffosydd y gelyn. Weithiau byddem yn ei saethu mewn pelenau. Byddem bob amser yn ceisio gweithio yn ddirgel, ac yn aml liw nos. Un noson aeth ychydig ohonom i ffos oedd heb fod ymhell o'r gelyn i osod ein gynnau. Yr oedd ychydig o leuad, a gallwch fod yn sicr ein bod yn gweithio yn ddystaw rhag tynu tan arnom ein hunain ... ac ychydig oddiwrthym cymylau o nwy yn cael eu gollwng gyda'r gwynt i ffosydd y gelyn.

Canran isel iawn o holl golledion byddin Prydain oedd yn ganlyniad i'r nwy a ddefnyddid gan y gelyn, tystiolaeth o effeithlonrwydd y masgiau a'r drilio cyson – ond byddai'r arf newydd hwn yn dal i frawychu'r milwyr drwy gydol y rhyfel. Dyma lythyr gan W. T. Williams o Lanllechid at ei rieni yn 1917:

Ni chaws[om] funud o gwsg oblegid darfu i'r gelyn anfon y gas gwenwynig a bu raid i ni sefyll ar ein traed trwy y nos a gwisgo y masks. Buasech yn chwerthin pe buasech yn ein gweled. Wedi blino eistedd i lawr yr oeddym yn

cerdded o gwmpas ychydig, ond yr oeddym yn ddall bost.
Nid oedd fyw i ni eu tynu i ffwrdd i siarad nac i smocio
nac i fwyta. Noson ofnadwy oedd nos Fercher. Yr oedd
shells yn disgyn o'n cwmpas ymhob man a ninnau fel
deillion yn ymbalfalu ac yn disgwyl cael ein taro bob
munyd. Diolch nad ydyw hyna yn digwydd bob dydd, neu
buase ein hanner yn myned o'u pwyll.

Ac nid dyna'r unig arf newydd i'w brawychu chwaith. Fis
Gorffennaf 1915, yn Hooge, ger Ieper, defnyddiodd yr
Almaenwyr eu *Flammenwerfer*, sef taflwr fflamau, am y tro
cyntaf.

Ond, unwaith eto, cyn hir roedd gan Brydain hithau
daflwr fflamau ei hun. Roedd golygydd *Y Celt a'r Cymro
Llundain* yn anobeithio'n llwyr:

Mae'r diafol wedi ei ail orseddu gan genhedloedd mwyaf
gwareiddiedig y ddaear, a rhodfeydd uffern ydyw ein
heolydd a'n prif-ffyrdd, er yr amser y troediwyd daear
Belgium gan lengoedd anwar y Caisar ... Yr ydym wedi
gollwng cadau uffern yn rhydd ar wyneb y ddaear, ac nid
oes yr un anfadwaith yn rhy greulon i'w gyflawni ... Ar
faes y gad rhaid cynllunio nwyau gwenwynig ... Maent
wedi agor dorau uffern, ac wedi ail-osod y diafol yn ben
ar y ddaear heddyw.

Pan ystyrir faint o feistrolaeth ar beirianneg oedd ei
hangen i gau nwy o fewn casyn metel y gellid ei saethu
drwy'r awyr, yr arbenigedd cemegol oedd ei angen i
greu'r nwy yn y lle cyntaf, y fathemateg oedd ei hangen i
ddewis yr ongl briodol ar gyfer saethu'r gwrthrych i
ganol y gelyn – yr holl ystod o ddoniau dynol oedd wedi
cael eu harneisio dim ond i wenwyno milwyr â nwy,
mae'n anodd anghytuno â golygydd *Y Celt a'r Cymro
Llundain.*

Doedd dim pall ar ddyfeisgarwch dieflig y
'cenhedloedd mwyaf gwareiddiedig', ond beth am
barodrwydd eu dynion ifainc i ymladd dan y fath
amodau?

• • •

Dyma lythyr a ysgrifennwyd gan fam o Landysul at ei mab, Dafydd Davies, a oedd newydd ymuno â'r 15th Welsh Regiment:

Annwyl fab
... Gobeithio na chewch chi ddim mynd i'r trenshis neu wn i ddim beth i wneyd, ond does gyda fi ddim i wneyd nawr ond gweddio drosoch annwyl blentyn a gobeithio daw popeth yn iawn eto.
Dim ond cofio yn anwyl iawn atoch
Eich Mam.

Peth digon naturiol oedd pryder mamau Cymru wrth weld eu meibion yn mynd yn filwyr, ond ar ben hynny roedd llawer o'r werin anghydffurfiol yn eithaf amheus o'r fyddin, beth bynnag. Dyna oedd profiad Huw T. Edwards pan ymunodd yntau â'r milisia cyn y rhyfel:

Edrychid fel arfer ar ddyn a oedd yn ymuno â'r fyddin fel pe bai heb fod yn or-hoff o waith, ond edrychid ar y rhai a ymunai â'r milisia fel rhai a oedd yn fwy na hanner y ffordd i golledigaeth.

Roedd yr ateb yn glir i olygydd Y *Brython* ar 10 Medi 1914:

Dyma'r bobl i gael recruits o Gymru. Gweinidogion y Gair – sef y rhai hynny sydd a thipyn o fin yr iaith ar eu tafod a grym meddwl ar eu brawddegau – hwy o bawb fedr ennill clust y Cymro, ac y mae araith gan un o feistriaid y gynulleidfa, a mer yr efengyl tu-ol iddi yn werth troliad o gymhellion Seisnig o'r Senedd.

Yr enwocaf ohonyn nhw oedd y Parch. John Williams, Brynsiencyn, a lwyddodd i ddenu cannoedd i rengoedd y fyddin. Dyma hanes un o'i gyfarfodydd recriwtio yn ysgoldy Capel Stanley Road, Bootle, yn Y *Brython*,

25 Tachwedd 1914. Rhannai'r llwyfan â'r Cadfridog
Owen Thomas ac ar ôl i hwnnw siarad, daeth tro'r Parch.
John Williams:

Wedi dangos rhesymoldeb y rhyfel hwn rhagor rhyfeloedd
yn gyffredin, ac mai diffyg iawn ystyriaeth a iawn
gymhwysiad o addysg ac egwyddorion Crist a'r Bregeth
ar y Mynydd oedd wrth wraidd yr hynny o wrthwynebiad
a deimlid gan rai Cymry culfarn i'w phleidio, adroddodd
stori a ddywedodd Dr John Hughes wrtho am Henry Rees
pan welodd ef berchen yn camdrin mul ar un o heolydd
Lerpwl, yn mynd ati ac yn rhoi ysgeg chwyrn iddo. Beth
oedd hynny? Nid dialgarwch ond ysbryd dyn mwyaf
saintly a welodd Cymru braidd yn ymgythruddo wrth
weled creadur direswm – a dirmygus yn fynych – yn cael
ei gamdrin. Ac ysbryd cyffelyb a ddeffrowyd ynom ninnau
Brydeiniaid pan welsom genedl fawr, falch, Germani, yn
camdrin cenedl fach Belgium.

*   '... Nid ymladd dros eraill yr ydym bellach yn unig,*
eithr ymladd dros ein bodolaeth ni ein hunain fel cenedl a
gwlad. Beth pe'n darostyngid? Cynifer cwn a fyddem yn
ysgwyd ein cynffonnau dan fwrdd Caisar i dderbyn o
hynny o friwsion a welai o yn dda eu lluchio atom. Yn
wyneb hyn oll, fechgyn ieuanc, ymfyddinwch, ac na
adewch i ryddid eich gwlad, i ddiogelwch eich teuluoedd,
a'ch breintiau crefyddol, gael eu hysbeilio oddiarnoch;
canys er ei holl ddiffygion, Prydain, yw'r wlad a'r genedl
lanaf ac anrhydeddusaf y mae haul Duw yn tywynnu
arni, a byddwch o'r un ysbryd a'r hen wr hwnnw o Fon
acw a ddywedai'r dydd o'r blaen ei fod yn methu cyscu'r
nos wrth feddwl am y bechgyn glewion oedd yn y trenches
i'w gwneud hi'n bosibl iddo fo gysgu o gwbl.'

*   Diolchwyd i'r siaradwyr a'r cadeirydd a phawb*
gymerodd ran yn y cyfarfod gan Mr G C Rees a'r Parch
O Lloyd Jones MA, BD a rhoed gair o gyfarwyddyd parth
y lle a'r ffordd i ymrestru gan Mr Vaughan Jones.

*   Llongyferchid Mr Williams gan y siaradwyr eraill ar*
ei benodiad yn ben caplan Byddin Cymru ... Cyfarfod tan
gamp ac ym Mirkenhead y bydd nesaf.

Doedd dim amheuaeth nad oedd gwaith dynion fel John Williams ac Owen Thomas wedi dod â gwedd Gymreiciach i fyddin Prydain. Yn dilyn ffrae yn y Cabinet roedd Lloyd George wedi mynnu bod hawl gan Thomas i benodi swyddogion Cymreig a chaplaniaid anghydffurfiol i'r fyddin newydd, yn ôl ei ddymuniad.

Yn Llandudno ar ddydd Gŵyl Dewi 1915 roedd Lloyd George wedi gwylio gyda balchder wrth i 5,500 o filwyr Cymreig orymdeithio o'i flaen. Er gwaetha'r amheuon dechreuol, roedd Cymru'n gallu ymfalchïo mai hi oedd â'r ganran uchaf o'u gwŷr ifainc yn y lluoedd arfog. Ffurfiwyd catrawd newydd Gymreig yn 1915, sef y Gwarchodlu Cymreig neu'r Welsh Guards.

Ond roedd gweledigaeth Lloyd George o fyddin Gymreig yn annerbyniol gan y cadfridogion Prydeinig. Erbyn mis Ebrill daeth yn hysbys fod rhai o'r bataliynau newydd i'w cadw ynghyd fel Adran Gymreig, ond bod y gweddill i'w gwasgaru drwy'r fyddin. Disodlwyd Owen Thomas fel Cadfridog.

Roedd breuddwyd y fyddin Gymreig ar ben, ond roedd ôl dylanwad y Cadfridog Owen Thomas i'w weld yng nghyfansoddiad y bataliynau newydd o hyd. Roedd y Cadfridog wedi sicrhau bod tua hanner eu swyddogion yn medru'r iaith Gymraeg. Ac nid mater o ddyhead cenedlaethol yn unig oedd hynny, fel y tystiodd Ifan Gruffydd, a oedd wedi ymuno ag adran arall o'r fyddin: *Anghofia'i byth y gweiddi a'r arthio, y rhedeg a'r rhuthro, a'r troi a'r trosi heb wybod pa un oedd y 'left' a pha un oedd y 'right', a'r 'about turn', a chael fy hun yn dal i gerdded ymlaen a phawb arall wedi troi'n ôl ers meitin. Saeson oedd y bobl ac ni ddeallwn ond y nesaf peth i ddim.*

Er bod llai na hanner poblogaeth Cymru'n medru'r iaith erbyn 1915, doedd ugain y cant o'r rheini ddim yn siarad Saesneg, felly roedd 'na reswm ymarferol dros sicrhau swyddogion oedd yn medru'r Gymraeg.

Roedd hyn yn arbennig o wir pan oedd dynion am

ysgrifennu adref oherwydd bod yn rhaid i'r swyddogion
sensro'r llythyrau yn gyntaf. Roedd Saunders Lewis yn
swyddog gyda'r South Wales Borderers:

*Ambell waith yn Ffrainc, ond yn anaml, cefais lythyr
Cymraeg i'w wylio; a phwyswyd ar Gymry cwmnïau lle
nad oedd swyddog o Gymro, i ysgrifennu eu llythyrau yn
Saesneg er hwyluso'r wyliadwriaeth. Glowyr o Sir
Fynwy a Deheudir Cymru oedd mwyafrif y dynion.*

Cafodd Dafydd Jones brofiad tebyg pan aeth yntau allan
i Ffrainc:

*I am very sorry I cannot write to you in Welsh; I am
afraid the people in authority are not too willing because
they can read all letters if they like to. Of course they do
not read letters coming out so you can go on writing in
Welsh.*

Ac meddai golygydd *Y Drych* ar 5 Mai 1915:

*Ffyna cryn ddigofaint mewn rhanau o Gymru ... am fod
awdurdodau y fyddin yn Ffrainc a Belgium yn gwahardd
cludiad llythyrau Cymraeg.*

Yn ôl *Y Dinesydd Cymreig* ar 24 Tachwedd 1915:

*Yr wythnos nesaf bydd Mr. Llewelyn Williams yn gofyn
i'r Is Ysgrifennydd Rhyfel a ganiateir i filwyr yn y ffrynt
ysgrifennu llythyrau gartref yn Gymraeg; os gwneir, a
ydyw y rhai hyn yn cael eu harchwilio gan swyddogion
sydd yn hysbys gyda'r iaith Gymraeg, a ydyw ef yn
gwybod fod amryw o lythyrau ysgrifenwyd yn Gymraeg
heb gyrraedd pen eu taith, a chan fod cymaint o Gymry
wedi ateb apel y wlad, a wnaiff ef i oreu i weled fod
llythyrau Cymreig yn cael eu cludo o Ffrainc Fflanders a
Gallipoli.*

Mewn gwirionedd, roedd y sefyllfa'n dibynnu'n llwyr ar allu neu agwedd y swyddogion unigol. Erbyn 1917 roedd rheolau'r fyddin yn cydnabod y mater yn swyddogol: '*Languages unknown to regimental censors.—Letters in Welsh which cannot be censored regimentally should be sent under cover to the Chief Postal Censor, War Office*,' meddai'r Swyddfa Ryfel.

Ac mae digon o lythyrau Cymraeg wedi goroesi o bob cyfnod o'r rhyfel i ddangos bod yr iaith yn cael ei derbyn – yn answyddogol, o leiaf.

• • •

Roedd awdurdod y Llywodraeth yn cyffwrdd â bywydau'r werin mewn pob math o ffyrdd newydd bellach; er mwyn ennill y rhyfel roedd yn rhaid cael rheolaeth nid yn unig ar y lluoedd arfog ond hefyd ar bopeth oedd o gymorth iddyn nhw. Effeithiodd hyn ar gefn gwlad Cymru yn syth. Yn *Y Darian* ar 13 Awst 1914 dywed colofnydd lleol:

Gyda miloedd ereill drwy y wlad aeth pedwar ugain o fechgyn ieuainc ... i amddiffyn ein gwlad, prynhawn dydd Mercher diweddaf o Aberteifi. Aeth yn agos i gant o geffylau o'r dref hon a'r cylch.

Roedd prynwyr y Llywodraeth yn teithio'r marchnadoedd a'r ffermydd a doedd dim hawl gan ffermwr i wrthod cynnig am ei geffyl. Dyma'r colofnydd o Aberteifi eto:

Bydd hyn yn golled i'r amaethwyr gan fod y cynhaeaf llafur mor agos ond ni chlywsom neb y[n] grwgnach, gan eu bod wedi chwerwi gymaint tuag at Germani.

Pan oedd y rhyfel yn ei anterth, roedd gan fyddin Prydain dros 400,000 o geffylau a mulod, ac roedd angen tunnelli o borthiant ar eu cyfer. Heblaw am sieliau i'r gynnau, bwyd i'r ceffylau oedd yr eitem fwyaf oedd yn cael ei mewnforio i Ffrainc bob wythnos: 36,000 o dunnelli ohono fo, ceirch a gwair yn bennaf! Ond roedd gan Gymru rywbeth arall pwysicach na cheffylau i'w gynnig i'r rhyfel. Meddai golygydd *Y Darian* ar 10 Medi 1914:

Y mae glofeydd y Rhondda mewn llawn waith y dyddiau hyn, yn enwedig pyllau'r glo ager. Y rheswm am hynny yw eu bod i gyd ar yr hyn elwir yn 'Admiralty List', hynny yw, cyflenwir y llongau rhyfel a glo o honynt ... Gwelais lwythi trymion ohono yn cael ei yrru drwy y Cwm mewn buandra anarferol. Mae'n debyg fod yn rhaid i bob trên droi o'r ffordd i dren glo y rhyfel ... Mae'n debyg fod llwyth pwysig o lo yn cael ei hanfon ddwy a thair gwaith yr wythnos o Gwm Rhon[d]da i Ogledd-barth Ysgotland, i Ynysoedd yr Orkney, lle y mae angorfa fawr wedi ei threfnu i longau rhyfel Prydain. Aeth tren felly nos Wener ddiweddaf o ddau cant o dynelli, yn cael ei dynu gan dri pheiriant o Bontypridd.

Ac roedd angen i lowyr Cymru wneud eu rhan dros gynghreiriaid Prydain hefyd. Roedd digonedd o lo yng ngogledd-ddwyrain Ffrainc ond, o ddechrau'r rhyfel ymlaen, roedd y rhan fwyaf o byllau glo Ffrainc ym meddiant yr Almaenwyr. Felly mae'n hawdd dychmygu'r panig yng nghynteddau Whitehall pan aeth 200,000 o lowyr Cymru ar streic am fwy o gyflog ym mis Gorffennaf 1915. Bu raid i Lloyd George ei hun fynd i lawr i Gaerdydd i ddatrys y broblem. Ar 24 Gorffennaf 1915, pennawd *Y Faner* oedd: 'Buddugoliaeth Lloyd George' uwchlaw'r cyhoeddiad optimistaidd canlynol:

Ni chyfyd anghydfod etto ym meusydd glo y Deheudir am o leiaf naw mis wedi terfyn y rhyfel ... I Mr. Lloyd George yn ddiau, y rhaid priodoli y newydd da hwn.

• • •

Ychydig iawn o newyddion da oedd i'w cael erbyn canol 1915, gyda'r fyddin yn cael ei gwaedu'n wyn mewn brwydr ar ôl brwydr, yn Neuve Chapelle ac yn ardal Ieper.

Roedd Ivor Glyn Roberts o Lanllyfni yn ymladd yno gyda'r Liverpool Rifles ganol 1915. Newydd ddod allan o'r llinell flaen oedden nhw ar ôl bod yno am dros dair wythnos pan ddaeth gorchymyn i ddychwelyd yn syth. Cofnododd ei brofiadau yn *Y Drych*:

Yr oedd y Germaniaid wedi tori drwodd yn Hill 60, ac yr oeddynt ar eu ffordd i Ypres. Yr oeddym oll yn flinedig, ein traed yn glwyfus, wedi plastro gan laid a chwys; ond yn mlaen yr aethom ... i gyfarfod y Germaniaid ... ac ymosodasom arnynt liw dydd goleu.

Yr oedd y Germaniaid yn snipio a throisant eu machine guns arnom. ... Yr wyf wedi colli pob peth ... collasom bron yr oll o'n Non Commissioned Officers a chwympodd y rhan fwyaf o'm ffryndiau. ... Y mae ein brigad a ddaeth allan dri mis yn ôl gyda 5,400 o filwyr wedi ei lleihau erbyn hyn i 1,350.

Am y tro cyntaf, yng nghanol yr hyder jingoistaidd, clywn filwr sy'n meiddio lleisio'i amheuon ynghylch y rhyfel. Aeth Ivor Glyn Roberts yn ei flaen:

Hyd yn hyn y mae'r gelyn yn ein curo ymhob cwr, a goreu po gyntaf i adgyfnerthion ddod. Parthed eu cicio allan o Belgium – nid y flwyddyn hon. Y ma'n eithaf priodol i chwi gael gwybod y gwirionedd – y mae'r papyrau dyddiol wedi eich camarwain ar hyd yr amser.

• • •

Ond doedd dim sôn am bethau negyddol fel yna gan Lloyd George pan ddaeth yr Eisteddfod Genedlaethol i Fangor yn 1915. Yn ei araith fel Llywydd y Dydd, apeliodd yn hytrach at falchder y Cymry:

Hen genedl filwrol oedd Cymru, ond yr oedd ei hysbryd milwrol wedi colli am genhedlaethau, os nad canrifoedd. Yr oedd llawer yn synio hwyrach, ei fod wedi diflanu am byth ... Nid oedd ysbryd milwrol Cymru ddim wedi marw, ddim wedi cysgu hyd yn oed. Yn hytrach, aeth ysbryd milwrol Cymru i ogofau y mynyddoedd hyd nes y deuai'r alwad oddi fry.

Galwad llawn cystal at ysbryd milwrol y Cymry oedd gweld dau gôr o'r Ffiwsilwyr Cymreig yn cystadlu yn eu hiwnifform ar lwyfan yr Eisteddfod Genedlaethol ym Mangor; enillodd côr yr 16eg Fataliwn a chyflwynwyd cwpan arbennig i gôr yr 17eg Fataliwn.

Ddwy flynedd yn ddiweddarach gwahoddwyd arweinydd côr y 17eg Fataliwn, Samuel Evans o Ben-y-cae, Rhosllanerchrugog, yn ôl i lwyfan y Brifwyl ar gyfer seremoni syml. Cyhoeddwyd mai ef oedd yr unig un o'r côr oedd dal yn fyw.

Ond am y tro yn Eisteddfod Bangor, roedden nhw'n iach o hyd; fyddai'r bataliynau newydd hyn ddim yn cael eu hanfon allan i Ffrainc tan ddiwedd 1915. Yn y cyfamser, draw yn Nhwrci, roedd llu mawr o Gymry ar fin cael eu profi am y tro cyntaf ar faes y gad.

• • •

Ar ôl methu torri drwy linellau'r Almaen yn Ffrainc, penderfynwyd ceisio agor ffrynt newydd yn y dwyrain i daro yn erbyn un o'i chynghreiriaid, sef Twrci. Roedd Twrci wedi ymuno yn y rhyfel ddiwedd 1914 ar ochr yr Almaen ac Awstro-Hwngari. Ar y pryd roedd ganddi ymerodraeth helaeth yn y Dwyrain Canol, ond y cynllun oedd ceisio taro yn nes at ei chalon: glanio ar benrhyn Gallipoli ac yna ysgubo tua 160 o filltiroedd i lawr y penrhyn nes cipio'i phrifddinas, Caer Gystennin, neu Istanbul fel y'i gelwir heddiw.

Paratowyd byddin fawr ar gyfer y cyrch hwn ac yn eu plith yr oedd yr Anzacs, sef yr Australian and New

Zealand Army Corps. Un o'r milwyr a hwyliodd gyda nhw o'i gartref newydd yn Melbourne oedd Corporal John Elias Roberts, cigydd o Fethesda yn wreiddiol. Wrth iddo hyfforddi gyda'r Anzacs, go brin y byddai wedi amau bod yr enw hwn ar fin cael ei anfarwoli ar draethau Gallipoli, ac yn wir mae 25 Ebrill yn dal i gael ei gofio fel diwrnod Anzac, sef diwrnod cyntaf y glanio ar y penrhyn.

Er gwaethaf rhai misoedd o baratoi, pan ddechreuodd lluoedd y Cynghreiriaid lanio ar 25 Ebrill 1915, doedd ganddyn nhw ddim mapiau diweddar na gwybodaeth am gryfder amddiffynfeydd y Twrciaid. Nid oedd yn ddechrau da.

Ac i wneud pethau'n waeth, dim ond ar ôl i rai o'r milwyr lanio yno y sylweddolon nhw eu bod nhw ar y traeth anghywir. Yr Anzacs oedd y milwyr anffodus hynny – 16,000 ohonyn nhw; ac yn lle'r bryniau gweddol hawdd eu dringo ychydig is i lawr y penrhyn, roedden nhw'n wynebu clogwyni uchel uwchlaw Ariburnu. Dyma ddisgrifiad Tom Nefyn Williams o gyrch tebyg ar benrhyn Gallipoli rhyw dri mis yn ddiweddarach:

Dyma orchymyn ... 'Fix bayonets!' ... Dyma'r gorchymyn olaf: 'Charge!' Megis carreg yn mynd allan o ffon-dafl, neidiasom i fyny, ac i ffwrdd â ni dan grochweiddi, â'r haul eirias yn gwynnu ein bidogau ... Yn uwch ac yn uwch ar hyd y llechwedd. Drwy'r man-goed, gan adael un cyrnol a'i uch-gapten ac ambell hen ffrind ar ôl yn feirwon. Nid wrth dipian y cloc y mesurem ein hamser: ond rywbryd yn y prynhawn cyraeddasom ael y bryn.

Collwyd 2,000 o Awstraliaid yn unig ar 25 Ebrill ac yn eu plith yr oedd John Elias Roberts. Mae wedi ei gladdu ym mynwent Lone Pine ar ben y bryn serth y costiodd gymaint o fywydau i'w ennill y diwrnod hwnnw.

Cymro arall a oedd ymhlith y cyntaf i lanio yno oedd meddyg o Flaenau Ffestiniog, Tom Carey Evans. Adroddodd ei brofiadau yn *Y Drych* ar 12 Awst 1915:

*Rhoddwyd yr oll o gelfi fy 'hospital' ar longau ysgafn ...
Yr oedd y traeth wedi ei orchuddio a chlwyfedigion a
chyda milwyr newydd yn glanio, fel y bu raid i mi wasgu
yn mlaen ar fy union. Tra yr oedd y dynion oedd gyda mi
yn dwyn yr 'hospital' oddi ar y llong, prysurais o gylch y
lle i chwilio am fan cyfleus i'w gosod i fyny. Yn ffodus,
daethym i gyfarfyddiad a fy O. C., yr hwn eisoes oedd
wedi penderfynu ar lecyn. Ymaith a ni gan ddechreu
cloddio fel navvies, bawb o honom hyd nes y gweithiwyd
ffordd i mewn i ochr y bryn, lle y gosodais un o'r pabellau
i fyny. Wrth gwrs, yr oedd yn rhaid gorchuddio hwn a
changenau fel ag i'w guddio yn gymaint ag oedd yn
bosibl. Cefais nifer o glwyfedigion yn ystod y boreu
hwnw, a bum yn brysur wrthi, gallwn feddwl am bedwar
diwrnod a'r pedair noson dylynol. Symudwyd y
clwyfedigion ar eu hunion o'r fan hyn i ysbytai ar y traeth
a thrachefn i fadau. Nid oedd llecyn dyogel yn unman; ail
anafwyd y clwyfedigion, a chafodd rhai cludwyr y
'stretchers' eu lladd ar bob llaw.*

• • •

Ar ôl ennill troedle ar flaen y penrhyn yn Ebrill 1915,
methu wnaeth pob ymgais i dorri drwy linellau'r Tyrciaid
am y tri mis nesaf. Felly, ar 6 Awst 1915, ymosodwyd o'r
tu cefn iddyn nhw ymhellach i fyny'r penrhyn, mewn lle
o'r enw Bae Suvla.

Unwaith eto, glaniwyd milwyr ar y traethau, a dyma'r
tro cyntaf i nifer o fataliynau Cymreig ymladd gyda'i
gilydd. Roedd Tom Nefyn Williams yn un ohonyn nhw:

*Sôn am uffern yr hen ddiwinyddion! Ubain a sgrech a
chwalfa tân-belen ar ôl tân-belen, fel pe y gollyngasid yn
rhydd yn yr awyr glas gannoedd o ellyllon gwibiog. Yma
ac acw o'n deutu, ond gyda byddarol ffrwydradau, troid y
môr yn lluwch gwyn. Yna, trwy agorfan yn ochr y llong,
aeth yr hanner cant cyntaf ohonom i beth nid annhebyg i
tugboat. Sssshh ... whiw ... bang! ... Sssshh ... whiw ...*

61

bang! ... Bang ... bang ... bang! Ond megis islais tangnefeddus, cofiem nodau'r dôn Andalusia a'r geiriau, 'O Dduw, rho im dy hedd'. Druan o'r cychod a aeth at agorfan y llong yn union ar ein holau, â chryn ddeg ar hugain o hogiau ym mhob un ohonynt, a phawb â'i bwn o dros ddeg a phedwar ugain pwys. Fflachiad a mwg o ddau gwch! Fe'i trewsid; a pha siawns oedd gan neb o'u mewn i'w achub ei hun?

Ychydig bellter o'r traeth, ddyfned â hyd at geseiliau dyn, gosodasai'r Twrc wifrau pigog ar byst ym Mae Suvla ... Yn ei yrru cynddeiriog, o drugaredd, drylliodd ein cludfad ni ffordd iddo'i hun. Neidiasom i'r dŵr bas, ac yna yn ddiymdroi ar draws y tywod gwlyb a llac ac i fyny'r gelltydd. Sssshh ... whiw ... bang! ... Bwwm ... Wwwmm ... Crrras! Lle y buasai rhywun eiliad yn gynharach yn cydredeg â ni, ni welid mwyach ddim ond ambell fwndel gwingol, griddfannus, gwaedlyd.

Glaniodd 20,000 o ddynion yn Suvla y diwrnod hwnnw, ond yn lle bwrw yn eu blaenau yn syth a gyrru'r Tyrciaid oddi ar frig y bryniau a oedd yn amgylchynu'r bae, tra oedd mantais niferoedd ganddynt, dal yn ôl wnaeth y cadfridogion, a chollwyd y cyfle. Mewn llythyr i'r *Drych*, disgrifiodd C. G. Jones yr hyn oedd yn wynebu'r milwyr:

Ceisiwch ddychmygu am enyd. Yn union ar eich cyfer saif cadwen o fryniau tebyg i'r clogwyni arweiniant i uchelderau hen fynyddau Meirion. Rhyngoch a'r bryniau mae gwastadedd am tua thair milldir o ffordd yn orchuddiedig gan lwyn a glaswellt hir a drain a mieri, ac y mae rhan dda o'r gwastadedd yn wely i rhyw fath o lyn dwr hallt rhyfedd. Ond yn lle tangnefedd a mwynhad golygfeydd clogwyni Gwalia mae'r bechgyn yn wynebu llinellau arfog y gelyn.

Mae pob clogwyn yn guddfan magnelau'r Twrc, pob llwyn a chysgod yn fan crynhoi nerth y gelyn, ac o bob bryn a thwmpath mae angeu yn gwgu a'r bwledi yn chwibianu a'r shells yn ffrwydro uwch ben ar bob tu.

Erbyn noson 8 Awst 1915, pan gafwyd y gorchymyn i ymosod, nid gynnau'r Tyrciaid oedd yr unig broblem. Roedd yn rhaid i'r Cymry hefyd groesi'r llyn dŵr hallt y soniodd C. G. Jones amdano. Roedd yn reit fas a disgwylid y byddai wedi sychu yn yr haf dan haul tanbaid y dwyrain. Ond nid oedd wedi sychu cymaint â hynny:

Cyn bod y golofn haner ffordd ar draws y llyn yr oedd y dynion yn ymdrechu yn nghrafangau bradwrus y gors i fyny at eu gliniau mewn dwfr a llaid.

Ac unwaith y deallodd y Tyrciaid fod y Cymry am groesi'r llyn a dechrau tanio tuag atyn nhw, doedd 'na ddim blewyn o gysgod iddyn nhw yn unman. 'Bu'r llyn hwn yn fan medi canoedd o fechgyn Cymry,' meddai C. G. Jones. Yn ôl Tom Nefyn Williams:

Targedau o gnawd diymadferth oeddym heb gyfle na gallu ar y pryd i daro'n ôl. [F]el y graddol ffyrnigai'r cafodydd o shrapnel, lloriwyd llawer mintai, megis y torrir clwstwr o frwyn i'r llawr â chryman miniog.

O'r diwedd, llwyddwyd i groesi'r llyn. Dyma C. G. Jones eto:

Lle yr oedd deuddeg cant o'r blaen pedwar cant neu lai hyrddient eu hunain ar y gelyn; ond os ymladdodd dynion erioed gwnaeth y rhain, ac o dan oleuni annghyfeillgar loer gwlad y gelyn ysgubasant y Twrc o'u blaenau a sefydlasant eu hunain ar y codiad tir cyntaf, yr ochr draw i'r llyn dwfr hallt. ... [B]ydd hanes ymdrechion llanciau'r bryniau yn anfarwol byth. Mae Cymru yn falch o honynt.

• • •

Ond roedd Cymru hefyd yn cyfri'r golled. Wedi i'r catrodau Cymreig lanio ym Mae Suvla, cafwyd y nodyn golygyddol hwn yn *Y Clorianydd*:

AR GOLL – Ofnir y gwaethaf am Private R. R. Williams (19808), B. Co., 4th Battalion South Wales Borders gan ei fod ar goll er y 12ed o Awst ar ol bod mewn brwydr yn Gallipoli. Os y gwyr rhyw filwr arall rywbeth am dano bydd ei rieni yn 9, Beach-road, Porthaethwy, yn bur falch o glywed. Cyn ymuno a'r Fyddin gweithiai yng ngwaith sebon Port Sunlight.

Ofer fu'r holi amdano, ac mae ei enw ar gofeb Cape Helles ar flaen y penrhyn, ynghyd ag enwau dros 20,000 o filwyr eraill a gollwyd yn ystod ymgyrch Gallipoli ond na chafwyd hyd i'w cyrff i'w claddu. Meddai golygydd *Y Celt a'r Cymro Llundain* ar 4 Medi 1915:

Beth fydd diwedd ymgyrch y Dardanelles? Os na lwyddir i wthio drwodd cyn dechreu mis Hydref bydd tymor y gaeaf yn gwneud ymosodiad o'r môr yn amhosibl. Ac ar hyn o bryd mae'r rhagolygon yn hynod dywyll.

Roedd Caradog Williams o Lanrug yn un o'r milwyr a oedd yn wynebu'r dyfodol ansicr hwn. Dywed yn *Y Drych* ar 7 Hydref:

Yr ydym wedi bod yn y llinell dan am bum diwrnod, o bedwar o'r gloch neithiwr. Anmhosibl ydyw desgrifio y lle. Gobeithiaf y bydd i Dduw fy nghadw i a'r oll o honom, ac y cawn ddod adref yn ddiangol ... Pan y mae dyn yn gwynebu angeu mae yr hen wersi a ddysgwyd i ni pan yn blant yn ad-dalu yn ol ar eu canfed ... Mae dyn yn ceisio amddiffyniad dwyfol, fel y ceisia y plentyn amddiffyniad ei fam.

Rhygnodd y brwydro ymlaen drwy'r hydref a bu raid i ddynion fel Caradog wynebu eu hofnau – a'u goresgyn – yn ddyddiol. Dyma hanes un noson ar ddyletswydd yn y ffosydd blaen:

Daeth fy nhro inau i gymeryd y Maxim o un o'r gloch y boreu hyd dri o'r gloch. Cynorthwyid fi gan fachgen ieuanc o Gaernarfon, yr hwn oedd tua 19eg oed. Aeth yr awr gyntaf heibio yn lled dawel, fel noswaith yn Nghymru, ond tua dau o'r gloch dechreuwyd tanio ar ein chwith. Gorweddem ein dau yn mysg rhyw lwyni, a'r bwledau mor aml a haid o wenyn yn ehedeg drosom. Ar adeg fel hyn mae dyn yn dod i deimlo fel awydd dianc i rywle. Nis gallaf ddarlunio fy nheimlad yn briodol. Y foment hon clywn un o'r Maxims yn dechreu tanio ar y dde i ni o linellau y Tyrciaid. Nis gallaf ddweyd wrthych pa fodd y daethym i ddweyd wrth fy nghyfaill am lwytho ein gwn. Codais i fyny gan ddweyd wrthyf fy hun fy mod yn llaw Duw. Cefais lwyr feistrolaeth arnaf fy hun, rywfodd, a'r foment nesaf yr oedd ein gwn bychan yn tywallt plwm i rengau y gelynion yn ol 420 o fwledau y fynyd. Ni ddymunwn gael profiad cyffelyb eto. Pa fodd bynag, llwyddasom i wneyd gwn y gelyn yn aneffeithiol. Gwelwch nad yw ysbryd Glyndwr a Llewelyn wedi darfod eto yn y Cymro.

• • •

Ond wrth i hydref droi'n aeaf, daeth y tywydd yn gymaint o elyn â'r Tyrciaid eu hunain. Yn *Yr Udgorn* ar 4 Rhagfyr cawn ddisgrifiad dramatig Thomas Evan Evans:

Wel, Mam, peidiwch a dychryn wrth ddeall fy mod i yn yr hospital-ship ... Yr wyf wedi fy nghlwyfo ychydig yn fy mysedd, ond ddim wedi colli yr un ohonynt; ond y mae fy nhraed yn ddrwg iawn – wedi eu taro gan rew – a'r poenau yn fawr iawn. Mi dreiaf ddweud ychydig o'r hanes i chwi. Fel yr ydych yn gwybod, buom yn y trenches am ddau fis, heb fyned oddi yno o gwbl. Nos wener diwethaf gwnaeth storm ofnadwy o fellt a tharannau, a gwlaw mawr nes ein bod at ein hanner yn y dwr hyd nos sadwrn. Collasom bob dim oedd genym. Yr oedd y dwr yn rhedeg fel afon drwy'r trenches ... Roedd y trenches mewn mannau wedi eu tynnu i lawr gan y dwr. Yr oeddym yn wlyb tros ein pennau. ... Mae'n dda ein bod cystal. Bu farw amryw.

Ac roedd angen cysgod y ffosydd hyn, heb os. Un o'r pethau anoddaf i'r milwyr ddygymod ag ef oedd y sielio parhaus gan ynnau'r Tyrciaid, a'r rheini'n ynnau mawr, fel y tystiodd adroddiad gan filwr yn *Y Drych*:

Y mae gan y Turks wn mawr mewn lle cyfleus iawn i shelio y bryn yma, felly yr oeddym yn cael ein rhan o'r tan bob dydd.

Mewn llythyr at ei frawd, dywed D. O. Williams:

Ansicir iawn iw einioes Dyn yn y lle yma fe hyrddir Dyn mewn amrantiad i fyd y marw megis heb feddwl er enghrafft bore heddiw digwyddodd un frwnt iawn yn y lle yr ydym ar hyn o bryd, tri dyn mewn gwahanol lefydd yn cael eu lladd gyda'r shells ... Lladdwyd y tri o fewn pym llath i mi, roedd darna o ffrwydr beleni yn fflamio fel cenllysg dros fy mhen.

Ac meddai'r milwr yn *Y Drych*:

Ac felly y cyfarfyddodd ein cyfaill R. H. Jones a'i ddiwedd ar yr 8fed Rhagfyr. Hefyd lladdwyd un arall o Aberdyfi hefo yr un shell, lladdwyd y ddau ar amrantiad; ... fe aeth un o'r pellets sydd tu mewn i'r shells trwy ysgyfaint ein cyfaill.

Wrth i 1915 ddirwyn i ben, roedd y ddau Gymro hyn gyda'r rhai olaf i farw yn Gallipoli. Ychydig wythnosau yn ddiweddarach, cafwyd gorchymyn i losgi unrhyw beth na ellid ei gario oherwydd bod y fyddin gyfan yn encilio i ddiogelwch. Daethai'r milwyr olaf oddi yna erbyn wythnosau cyntaf 1916.

Wrth edrych yn ôl oddi ar un o'r llongau fferi sy'n croesi 'nôl a mlaen ar draws culfor y Dardanelles heddiw, gellir gweld y geiriau 'Dur Yolcu' wedi eu torri mewn llythrennau anferth yn y graig. 'Aros deithiwr' yw ystyr y geiriau, ac mae'r gerdd sydd wedi ei cherfio i mewn i'r bryn oddi tanynt yn mynd yn ei blaen fel hyn: 'Mae'r pridd yr wyt yn ei droedio'n ddisylw, yn fan lle daeth sawl einioes i ben.' Pan adawodd byddin Prydain Gallipoli ar ddiwedd 1915, roedd dros 100,000 o ddynion o'r ddwy ochr bellach dan bridd y penrhyn.

Ond roedd tair blynedd o'r rhyfel i ddod eto, a byddai miliynau o ddynion dan bridd gwahanol wledydd cyn y deuai'r cyfan i ben.

Pennod 3

'Yr oedd y maes wedi ei fritho a chyrph y llanciau dewr'

1916

Sut le oedd y llinell flaen ar ddechrau 1916? Yn nhawelwch cefn gwlad Ffrainc a Fflandrys heddiw mae'n anodd dychmygu'r Rhyfel Mawr bellach; mae'r pentrefi drylliedig wedi eu hailgodi, mae meysydd y gad wedi eu lefelu, mae'r ffosydd wedi diflannu – ond ym mhobman ar hyd yr hen linell flaen mae mynwentydd rhyfel. Mae 150 o fynwentydd yn ardal y Somme yn unig ac yn y lleoedd hynny mae rhywun yn synhwyro maint y chwalfa a fu adeg y Rhyfel Mawr. Ar bob carreg fedd unffurf, wen, o dan fathodyn ac enw'r gatrawd, enw'r milwr, ei oed a dyddiad ei farw, mae lle ar gyfer neges gan ei deulu. Pan wêl dyn bennill neu adnod Gymraeg yn y bwlch hwn mae'n cyffwrdd y galon mewn ffordd ryfedd – ond 'dyw dyn yn ddim nes at ddeall sut y bu'r milwyr hyn fyw yma ... a marw hefyd.

• • •

Os yw'r rhyfel ymhell o'n profiad ni heddiw, sut oedd hi i'r bobl 'nôl gartref yng Nghymru 90 o flynyddoedd yn ôl? Gwyddom, o'r cannoedd o lythyrau sydd wedi goroesi, fod yna ohebu brwd o'r llinell flaen. Ond faint oedd y teuluoedd a'r cyfeillion yn cael gwybod go-iawn gan y milwyr dramor?

Roedd rhai ohonyn nhw yn sicr yn awyddus i rannu eu profiadau, ac yn ceisio gwneud hynny mewn termau a fyddai'n gwneud synnwyr 'nôl gartref: 'Nid oedd y *trenches* yn lle cymffyrddus iawn,' meddai Dafydd Jones, mewn llythyr at ei fam yn Llanddewibrefi, '... fel pe baem yn cerdded yn nhrenches cae garw ni.'

A dyma Ieuan R. Jones o ardal y Bala yn ceisio taro cywair tebyg o gartrefol:

Ac mewn llawer lle yr oeddym mewn mwd bron at dopia'n coesau. Wrth gwrs yr oedd genym 'waders' (tebyg i'ch 'waders' pysgota chwi, Tada).

Wrth gwrs, doedd y milwyr ddim yn cael dweud gormod wrth eu teuluoedd rhag tynnu sylw'r sensor. Mae ôl pensil las yn drwm ar sawl llythyr yn yr archifau neu dwll lle y torrwyd rhywbeth amheus allan ohono. Cyfeiriodd W. T. Williams at hyn mewn llythyr at ei rieni ychydig cyn y Nadolig 1916:

Darfu i J.R. geisio dyweud rhywbeth wrthyf yn ei lythyr, ond cafodd ei chwalu allan gan y censor. Nid ydynt yn caniattau i ni enwi lleoedd.

Er gwaethaf y gwaharddiad ar enwi lleoedd, roedd ambell un yn dal i geisio twyllo'r sensor. Pan ysgrifennodd brawd fy nain adre o Ffrainc, dywedodd na châi ddatgelu enw'r dref lle roedd, ond gallai ddweud eu bod nhw'n bwyta afalau yno. Roedd y teulu yn y niwl, nes i rywun egluro mai'r cyfieithiad Saesneg o 'bwyta afalau' oedd 'eat apples', hynny yw, ei fod o yn Étaples!

Mae sawl milwr yn cyfeirio at ddaearyddiaeth ei ardal enedigol er mwyn ceisio egluro'i amgylchiadau. Dyma Henry Parry o Fethesda:

Byddwn fel petai yn edrych ar faes y frwydr o ben Foel Faban a'r cyfan i'w weld ar ochr Mynydd Llandegai, ac ambell i shell yn disgyn yn awr ac eilwaith yn agos atom.

Ychydig fisoedd ynghynt bu Caradog Williams yn fanylach fyth wrth geisio disgrifio'i sefyllfa ar benrhyn Galipoli i'w rieni yn Llanrug:

Gorchymynwyd i ni tua tri o'r gloch y boreu dydd Mawrth i gymeryd safle oedd yn meddiant y gelyn. Rhyw fynydd neu fryn tebyg i'r Cefndu ydoedd, a minau yn dod ato fel pe buasem yn dod o gyfeiriad Bethel. Yr oedd y ffosydd oeddym i'w cymeryd fel pe buasech yn meddwl am linell y L. a N. W.

Ar y llaw arall roedd eraill, fel W. T. Williams o Lanllechid, yn defnyddio'u llythyrau i ddianc, fel petai, o fyd y ffosydd:

Yr wyf yn dychmygu eich gweled yn brysur iawn yn glanhau y ty erbyn daw Mary yna o'r Deheudir. Mor felus fuasai cwpanaid o dê gyda 'chacen gri' y prydhawn yma. Efallai eich bod yn brysur yn corddi, a braidd na chlywaf swn yr hen fuddai yn myned ar ei thro tra mae'r hen wraig yn canu rhai o'i hoff emynau. Llawer tro y trowyd yr hen olwyn yn swn hen emynau Cymreig, ac yn wir byddai canu ambell i hen dôn yn tueddu i ysgafnhau y gwaith.

Dychmygu sut roedd pethau gartref yr oedd Sam Johnson yntau, mewn llythyr at Mary Howells, ei gariad, a oedd yn byw yng Nghynwyl Elfed:

Tebyg nad yw yr gwenyn wedi marw y gyd gyda Dai ar[a] chi yn yr twywyd [tywydd] oer mawr cesoch yr gauaf diweddaf.

Gallai'r milwyr wneud cais arbennig i anfon llythyr mewn amlen werdd na fyddai'n mynd heibio'r sensor. Llofnodai'r llythyrwr ddatganiad ar yr amlen i'r perwyl na roddai unrhyw wybodaeth yn y llythyr a allai fod o help i'r gelyn. Ond roedd rhai ohonyn nhw'n cael eu hagor er gwaethaf addewidion yr awdurdodau. Yn ôl Ernest Roberts, a oedd yn gweithio ym mhencadlys y Royal Flying Corps:

Prif amcan agor y llythyrau hyn oedd galluogi'r awdurdodau milwrol i fesur morale y milwyr ... O ryw ddwsin o'r llythyrau hyn a ddaeth i'n Pencadlys ni un tro, roedd un wedi ei ysgrifennu yn Gymraeg, a gofynnodd yr Intelligence Officer imi ei gyfieithu iddo. Roedd yn llythyr digon didramgwydd ... Doedd fawr ddim o'i le ar y bwyd a gâi, ond meddai, 'mae cwrw y cantin yma fel piso mul ac yn codi cyfog gwag arnom.' Ar ôl plwc o chwerthin mi gyfieithais y cymal mulaidd yn ddigon rhwydd, ond fe nogiais ar y 'cyfog gwag' ac es drwy fosiwns dirdynnol a gwyntog yr anhwylder a hynny'n ddigon effeithiol i'r swyddog ddweud 'Nausea', ac meddai, 'Another Quarter Master I suppose, adding duckpond water to the beer.'

Os oedd llythyrau'r milwyr yn cael eu sensro gan yr awdurdodau, roedd rhai milwyr, fel y Corporal T. J. Richards, yn gweithredu rhyw ffurf ar sensoriaeth eu hunain:

Anwyl Chwaer
... rhuthrodd llawer o'r gelyn drwy y 'barb wire entanglements' i'n trenches, ac fe fu yn frwydr ofnadwy. Nis gallaf ddesgrifio yr hanes mewn Geiriau.

Roedd 'na rai pethau nad oedd y milwyr am eu rhannu efo'u teuluoedd. Dyma ddyfyniad arall o lythyr T. J. Richards at ei chwaer, lle mae'n cyffwrdd ag erchylltra'r rhyfel unwaith eto, cyn troi'r stori:

Lladdwyd dau Sergeant drwy i shell ddisgyn yn y dug-out a'u chwythu yn chwilfriw. Ni ddywedaf ychwaneg am y pethau hyn gan nad ydynt yn gwneyd dim lles i neb wrth siarad amdanynt.
    Manteisiaf ar eich caredigrwydd i ofyn am barsel bychan unwaith eto.

• • •

Ers dechrau'r rhyfel, bu merched Cymru yn gwneud cymaint ag y gallen nhw i anfon parseli er mwyn helpu'r milwyr ar y maes. Dyma adroddiad nodweddiadol o Gaernarfon, a ymddangosodd yn *Y Dinesydd Cymreig*:

Y mae chwiorydd eglwys Salem wedi dangos gweithgarwch nodedig mewn darparu dillad i'r milwyr, ac anfonwyd 35 o grysiau gwlanen, 6 o wregysau gweuedig, 24 o scarves, 10 o helmets, 25 par o socks, 15 par o mittens a dwsinau o bacedau o gadachau poced.

Maes o law byddai Margaret, gwraig David Lloyd George, yn trefnu diwrnod baneri yn flynyddol ar ŵyl Ddewi, gan godi symiau sylweddol iawn at les y milwyr Cymreig. Ar 3 Mawrth 1917 adroddodd *Y Celt a'r Cymro Llundain* fod yr apêl y flwyddyn honno wedi codi digon o arian i anfon 66,000 o barau o sanau, 14,000 o glapiau sebon a bron i hanner miliwn o sigaréts, ymhlith trugareddau eraill, i'r milwyr tramor.

Ond yn ystod y Rhyfel Mawr y gwelwyd am y tro cyntaf ferched yn cael cynorthwyo mewn ffyrdd llai traddodiadol. Meddai golygydd *Gwalia*:

Pa beth sydd wedi bod yn agwedd hynotaf o'r rhan a wnaed gartref yn y rhyfel erchyll hwn? Yn ddiameu, y gwaith a wnaed gan y merched ... Y mae yn debyg fod, yn gyfangwbl, filiwn o ferched wedi taflu eu hunain i waith newydd mewn cysylltiad a'r rhyfel, o fod yn cadw cyfrifon mewn banc i yrru cerbydau, o fod yn trafaelio mewn masnach i edrych ar ol peirianau ... O gasglu tocynau rheilffyrdd i wneud esgyll llongau awyr, ac o fod yn gweithio mewn amaethyddiaeth i droi neu asio mewn gwaith miwnisiwn.

Roedd dros ddeg o'r ffatrïoedd arfau yma yng Nghymru,

o Gaernarfon i Ben-bre. Gweithiai 900 o ferched yng ngwaith y Brodyr Powell yn Wrecsam, gan gynhyrchu 10,000 o sieliau (shells) yr wythnos, ac roedd 7,000 o ferched yn cynhyrchu ffrwydron yn ffatri arfau rhyfel Queensferry. 'Troi uwd yn sosban uffern' oedd un disgrifiad o'r broses o greu cordeit ar gyfer y sieliau; ond drwy wneud hyn roedd y merched yn chwarae rhan allweddol yn y rhyfel, fel y cyfeiriodd golygydd *Gwalia*:

Trwy gymryd i fyny gwaith cynyrchol mewn gweithfeydd miwnisiwn, y mae merched nid yn unig wedi darparu miwnisiwn, ond hefyd rhyddhau dynion i ddefnyddio'r miwnisiwn.

Effeithiai'r swyddi hyn ar iechyd y merched; roedd y cemegau mewn TNT yn troi eu croen yn felyn, ac yn gallu achosi'r clwy melyn. Bu farw dros gant o ferched o'r cyflwr hwn rhwng 1916 ac 1918, ac wrth gwrs, roedd peryglon amlwg o drin ffrwydron yn ddyddiol. Ar 5 Rhagfyr 1916 lladdwyd 35 o ferched mewn ffatri yn Leeds, ac yn Ionawr 1917 lladdwyd 74 mewn tanchwa erchyll arall yn nwyrain Llundain, lle'r anafwyd bron i fil o bobl ac y difethwyd 17 erw o'r ddinas.

• • •

Allan yn Ffrainc, lle roedd y taflegrau a gynhyrchid gan ferched y ffatrïoedd arfau yn rhan o fywyd bob dydd, peli eira oedd ar feddwl Dafydd Jones o Landdewibrefi ar ddechrau 1916!:

Fy Anwyl Fam
... Nid oes heddyw eto ddim rhyfedd i'w grybwyll ond ei bod yn fyd gwyn arnom oll heddyw. Ymladd mewn eira. Bu arnom chwant neithiwr fynd yn croes i drenches y Germans a'u peltio [ag] eira. Tipyn o 'fun' fuasai hyny.
Wrth reswm nid yw eira yn caniatau i ni ymadael o'n

trenches. *Dyw eira ddim yn cuddio ein dillad ac y mae mor anawdd rhedeg byddai y German yn ein trackio fel ysgyfarnogod ac yn dod i wybod felly ein tricks; felly aroswn oll yn ein trenches [a] stampio i gadw ein traed yn gynnes.*

Erbyn hyn roedd Dafydd Jones yn Gapten gyda'r Gatrawd Cymreig ac allan yn Ffrainc ers rhyw dri mis. Derbyniai ei sefyllfa heb fawr ddim chwerwedd:

Yr ydym yn byw fel cwningod o dan y ddaear, yn ein Dug-outs fel eu gelwir. Palasau bach o dan y ddaear. Rhyfedd mor gysurus y gallwn wneud ein hunain er o dan amgylchiadau anhawdd. Wrth Reswm nid yw y private yn cael yr un chware teg. Rhaid iddo ef gysgu yn ei got fawr a'i got flew ar y firing step pan nad yw yn gweithio er gwneud y trench yn saff.

Mewn ysgrif yn Y *Cymro* ar ôl y rhyfel sylwodd Saunders Lewis, Is-gapten (Lieutenant) gyda'r South Wales Borderers, sut y gallai anghyfartaledd o'r fath wenwyno'r berthynas rhwng swyddog a'i ddynion:

Nodwedd anhyfryd oedd yr agendor rhwng y swyddog a'r milwr cyffredin. Yr oedd hyn yn fwy annealladwy oblegid natur gymysg y fyddin newydd. Ychydig iawn o swyddogion a enillodd ffafr ac ymddiried y dynion ... Fy mhrofiad yw bod gwell dealltwriaeth rhwng swyddogion a milwyr yn yr hen fyddin nag a ffynnai yn y newydd, ac os rhaid rhoi rheswm am hyn, onid dyma ef? Yn yr hen fyddin galwedigaeth oedd milwrio. Ond yn y newydd aberth oedd yr ymuniad, ac aberthu nid yn unig ryddid personol, namyn hefyd yr hawl i ddyn ddangos yn ei agwedd nad oedd arno feistr yn y byd. Yr oedd y balchder sy'n elfen yn hunan-barch y werin yn rhwystr i addefiad a derbyniad siriol o'r sefyllfa, a'r swyddog gyda'i wisg amlwg oedd arwyddlun y caethiwed.

Ond mae llythyrau Dafydd Jones at ei fam yn frith o sylwadau sy'n awgrymu perthynas fwy cyfeillgar rhyngddo ef a'i ddynion:

Anwyl Fam ...
Y mae gorfodrwydd arnaf fi fod yn hynod o hapus pa un
bynnag ai ydwyf yn teimlo felly ai peidio. Os bydd y
captain yn drist [â'r] dynion felly ar unwaith.
... cymeraf bob gofal rhesymol am danaf fy hun ond, ar
yr un pryd, gofal y dynion odditanaf ddaw i'm meddwl
gyntaf. Mae colli un o honynt yn fy nharaw fel colli
brawd. Diolch nid wyf wedi colli ond dau wedi eu lladd
er pan ddeuthum allan. Gwn ein bod ni wedi anfon mwy
i dragwyddoldeb na hynny.

Er mor ifanc oedd Dafydd Jones, tua 23 oed adeg ysgrifennu'r llythyrau hyn, mae rhywbeth reit dadol yn ei gonsýrn am y dynion dan ei ofal. Dyma lythyr arall a ysgrifennwyd ganddo wrth ddod â'i filwyr allan i orffwys ar ôl cyfnod yn y llinell flaen:

Da gennyf hefyd gyhoeddi fy mod wedi dod a fy nghwmni,
dau cant a hanner o ddynion, allan heb golli un dyn. Yr
oeddwn wedi dweud wrthynt yn glir na faddeuwn hwynt
am byth os dangosent eu hunain yn ormodol. Llwyddodd
y bygwth yn dda ac heddyw mae y bechgyn yn ysgrifenu
adref rywbeth tebyg i hyn – Mae ein officers yn rhai da ac
yn ofalus iawn amdanom!

• • •

Er nad oedd Dafydd Jones wedi colli llawer o'i ddynion ef, roedd angen dynion yn eu miloedd o hyd ar gyfer y fyddin, ac ar ddechrau 1916 cyflwynwyd gwasanaeth gorfodol neu gonsgripsiwn. Yn *Y Seren* ar 19 Chwefror 1916 cyhoeddwyd hysbyseb yn amlinellu'r drefn newydd:

Deddf Gwasanaeth Milwrol, 1916
GALL POB DYN DI-BRIOD O OEDRAN MILWROL
sydd heb ei eithrio neu ei esgusodi dan y ddeddf hon
DDEWIS UN O DDAU GWRS:
1 Gall Ymrestru ar unwaith a mynd dan y faner heb oedi.
2 Gall Adystio (attest) ar unwaith dan Drefn y Cydrannau
(y Group System) a chael ei alw yn yr amser priodol
gyda'i Gydran.

Os na wneir yr un o'r ddau, y mae trydydd cwrs yn ei aros:
Cyfrifir ef fel WEDI YMRESTRU

Cafodd hyn effaith ar unwaith. Meddai Dafydd Williams o Aberdaron mewn llythyr at ei chwaer, Claudia, ym mis Medi 1916:

Mi fum yn ffair Pwllheli ddoe, nid oedd yno lawer o bobl, llawer o hogiau ieuanc yn aros adref rhag cael eu dal gan y milwyr efallai. Mi roedd y Lt. a'r Police yn dal llaweroedd o hogiau heb exemption Cards, ac yn cymeryd ei henwau ac yn myned ag eraill i mewn ond yn ffodus fe gefais i heddwch.

Allan yn Ffrainc, roedd Dafydd Jones o Landdewibrefi yn eithaf diamynedd gyda'r fath ddiffyg brwdfrydedd. Meddai:

Digon gwir byddai yn well gan bawb fod allan o Fayonet charge ond, os byddai pawb fel hwy, lle buasem ni fel gwlad erbyn hyn. Rhaid i mi ddweud nad wyf yn credu llawer mewn cachgwn. Unwaith rhaid marw a pha ddull o farw sydd well na rhoddi einioes i lawr er amddif[f]lyn hen, ieuanc a benywed ein gwlad – nid oes pleser i edrych ymlaen dros ymladd er cadw 'slackers' yn fyw a chysurus. Y mae gennyf filwyr odditanaf yn awr a phump chwech, ie a saith o blant ganddynt tra y mae bechgyn dibriod yn gwneud eu goreu i gadw allan. Credaf y bydd barn dragwyddol ar eu penau.

Ond roedd rhai yn fodlon herio'r drefn newydd drwy wrthod cael eu gorfodi i'r fyddin, doed a ddelo, fel yr adroddodd golygydd *Y Seren* ar 26 Awst 1916:

Mae'r gwrthwynebwyr cydwybodol yn amlhau o hyd, a chyfartaledd dda ohonynt yn Gymry. Hyd ddechreu y mis hwn cymerwyd 1700 i fyny, ac y mae'r mwyafrif ohonynt yn y carchar.

Un o'r rhain oedd Joshua Davies, a phan ymddangosodd o flaen tribiwnlys Llanbedr Pont Steffan ym Mawrth 1916, roedd y swyddogion yno yn awyddus i'w drechu drwy rym eu dadleuon. Fel hyn yr aeth yr holi a'r ateb rhwng y swyddogion a Joshua:

–A ydych yn defnyddio gwn?
–Ydwyf, i ddychryn brain.
–A ydych yn lladd cwningod?
–Ydwyf, i gael bwyd ac i amddiffyn cnydau.
–Oni fyddech yn barod i ladd Almaenwyr?
–Na fyddwn. Yr wyf yn bwyta cwningod. Ond nid wyf yn bwyta Almaenwyr. Mae bywyd dynol yn gysegredig.

Os na ellid trechu gwrthwynebwyr cydwybodol drwy rym dadl, yna roedd yn rhaid eu trechu drwy ddulliau eraill, fel y darganfu Ithel Davies o Fallwyd. Mewn llythyr i'r *Faner*, 8 Gorffennaf 1916, disgrifiodd y driniaeth a gafodd yn y fyddin ar ôl i'r tribiwnlys wrthod ei eithrio rhag consgripsiwn:

Dyrnodiwyd fi … am wrthod ufyddhau y diwrnod cyntaf am oddeutu deg munud i chwarter awr yn ddibaid gan ddau neu dri o'r swyddogion, a'm lluchio ar hyd y llawr nes yr oedd fy nghorff yn ddoluriau poenus; ac wedi iddynt fethu felly, fe'm rhoddwyd mewn cyffion am oriau, ac heb ddim cinio y diwrnod hwn. Cefais yr unrhyw driniaeth dranoeth wedyn, heblaw fy ergydio a'm lluchio o gwmpas i geisio'm cael i baradio; a phan fethwyd a'm cael [i wneud] sandbags, na gwaith arall, na drill, er y dyrnodio a lluchio rhaweidiau o laid a cherrig arnaf, fe'm rhoddwyd eilwaith mewn cyffion a straight jacket, ys y'i gelwir, a mewn gwirionedd dyna ydyw, hefyd, a bu yn bur boenus i mi ... Fe'm dygwyd allan drachefn y trydydd dydd i geisio gennyf wneud rhyw waith; ac a mi'n gwrthod, daeth un o'r swyddogion yn angerdd ei lid gan fy nyrnodio'n ddidrugaredd, a tharawodd fi yn fy ngwyneb nes torrodd asgwrn fy nhrwyn, a bu'n gwaedu am oriau; a phan yn y cyflwr hwn, ceiswyd gennyf ddrilio ar ben fy hun gydag un o'r sergeants drwy ddyrnodiau a phob modd digon cywilyddus, eithr pan wrthodais fe'm dygwyd a chlowyd arnaf yn fy nghell unig.

Roedd Ithel Davies yn ddigon gwydn i ymdopi â hyn. Ond, o'r 1,500 o heddychwyr a garcharwyd, bu farw 71 ohonyn nhw o ganlyniad i'r driniaeth a gawson nhw yn y carchar.

• • •

Roedd y rhan fwyaf, wrth gwrs, yn derbyn y drefn newydd, ac yn cael eu hanfon i wersylloedd hyfforddi enfawr mewn lleoedd fel Litherland, ger Lerpwl, Park Hall, ger Croesoswallt, neu Barc Cinmel, Bodelwyddan. Ar gyfer y rhyfel yn y ffosydd, yn ogystal â dysgu trin reiffl, roedd y dynion hefyd yn gorfod dysgu trin rhaw. Mae'r ffosydd yr agorodd y milwyr fel rhan o'u hyfforddiant i'w gweld ym Modelwyddan hyd heddiw. Ond er iddyn nhw ddysgu bod siâp igam-ogam y ffosydd yn lleihau effaith ffrwydrad a bod angen gris i sefyll arno wrth danio, doedd dim yn y broses hyfforddi a allai baratoi'r milwyr ar gyfer erchylltra bywyd yn y ffosydd go-iawn.

Bu profiadau cyntaf Ieuan R. Jones o fod yn y ffosydd yn agoriad llygad, fel yr adroddodd yn *Y Seren* ar 19 Chwefror 1916:

Pan ffeindiais fy hun yn y trenches y tro cyntaf, ychydig wythnosau yn ôl, yr oeddwn yn meddwl fy mod mewn lle ofnadwy o fudr Ond pan welais y 'front line' y tro diweddaf yma, newidiais fy marn. I'w gydmaru a'r lle diweddaf yma yr oedd y lle cyntaf fel gardd, a'r dugouts fel palasdai. Yn wir, yr oedd yn rhaid ini gerdded mewn mwd i fyny at ein pen gliniau i ddyfod at ddrws ein dugout.

Cwyno am y gwlybaniaeth a wnaeth W. T. Williams mewn llythyr at ei rieni ar 18 Rhagfyr 1916:

Mae eisiau esgidiau fel dûr mewn lle fel hyn, oblegid mae y dwr yn treiddio drwy bob beth.

Oherwydd eu bod nhw'n sefyll cymaint yn y dŵr, roedd yn rhaid bod yn ofalus rhag i'r dynion gael dolur traed y ffosydd (trench foot), cyflwr poenus iawn tebyg i losg eira, a allai arwain at gangrene. Roedd y fyddin yn awyddus i osgoi colli dynion o'r ffosydd oherwydd hyn, fel y tystiodd Hugh Pugh o Gorris mewn llythyr at ei deulu:

Cawsom feet inspection y prynhawn a bath y bore, felly gwelwch eu bod yn bur ofalus ohonom.

Roedd cyflwr ei draed yn codi'n reit aml yn llythyrau Hugh Pugh:

Bum ar 20 mile march ddoe a'r full pack ar fy nghefn. Nid wyf fawr iawn gwaeth ar ei hol hi ond fod fy nhraed tipyn yn ddolurus ond byddant yn iawn yfory.

By the way pryd mae Bet yn mynd i orffen y socks i mi; mae'r army socks yn brifo fy nhraed yn goblin.

... Buaswn yn caru cael socks hefyd. Mae gennyf un pair yn y mhac digon mawr i Prussian Guard. Os bydd fy socks yn rhy fawr mi aiff fy nhraed yn ddrwg ar y march.

Roedd Dafydd Jones o Landdewibrefi yn falch o dderbyn sanau hefyd, ond am resymau mwy hiraethus efallai:

Daeth parcel mawr o socks i law i'r Batalion ychydig ddiwrnodau yn ol ac, wrth reswm, yr oedd llawer wedi rhoddi tocyn mewn hosan er dweud pwy oedd wedi ei gwneud ac yn eu plith yr oedd parcel o Dregaron. Daethant yma oddiwrth y Welsh Committee. Yr oedd yn dda gennyf weld socks yn dod i law o Dregaron rywfodd. Yr oeddwn wedi gweld yn y papur eu bod yn gweithio yn Tregaron er gwneud 'comforts for the troops'.

Sefydlwyd diwydiant gweu sanau i'r milwyr yn ardaloedd chwareli'r gogledd i helpu teuluoedd oedd yn ddi-waith oherwydd bod y diwydiant adeiladu (ac felly'r farchnad ar gyfer llechi) wedi dod i ben yn ystod y rhyfel. Cyfrannwyd £5,000 i brynu peiriannau gan ddarllenwyr *Y Drych* yn Efrog Newydd a'r *Welsh American* yn Pennsylvania, a dechreuwyd gweu sanau ym Mlaenau Ffestiniog yng Ngorffennaf 1915, yn Nhal-y-sarn ym mis Medi, ac ym Methesda yn Ionawr 1916. Enillwyd cytundebau gan lywodraethau Prydain, Ffrainc a Gwlad Belg, a chyflenwyd 300,000 o barau gan y grwpiau hyn erbyn diwedd y rhyfel.

Byddai'r milwyr yn iro'u traed â sebon i'w harbed pan oedden nhw'n martsio ac yn defnyddio olew morfil i'w harbed rhag dŵr y ffosydd. Roedd pob math o feddyginiaethau'n cael eu cynnig yn y papurau hefyd; dyma hysbyseb am Tiz a ymddangosodd yn *Y Darian* ar 24 Chwefror uwchben llun milwr ar un goes:

iz a lawenycha draed tost blinedig
Oh fy nhraed chwyddedig a phwfflyd druain.

Ac yn Y *Cymro* ar 26 Mehefin 1917 cafwyd hysbyseb dan
y pennawd: 'Sut y mae Milwyr yn Llwyddo i Osgoi
Poenau Traed Drwg':

Gorphwysant eu traed mewn dwfr poeth yn cynnwys
oddeutu llond llwy fwrdd o saltrates compound ... Sergt
CS Turner o'r RAMC a ysgrifennai: 'Nis gallwn brin gredu
tystiolaeth fy llygaid fy hun, pan ganfyddais yr hyn a
wnaethai y dwfr naturiol meddyginiaethol hwn i draed
rhai fu'n y ffosydd.'

• • •

Dan y fath amgylchiadau roedd ceisio cynnal ysbryd y
dynion yn hanfodol, ac mae pwysigrwydd canu yn
rhywbeth sy'n codi dro ar ôl tro yn llythyrau'r milwyr.
Dyma ddisgrifiad W. T. Williams o sut y bydden nhw'n
difyrru eu hunain yn y *dug-outs* fin nos:

Pe buasech yn dod am dro ffordd hyn heno, buasech yn
meddwl nad oes yr un enaid byw yn agos i'r lle ... Wrth i
chwi nesu at y ffos efallai y clywch swn canu yn dod o'r
ddaear o dan eich traed, ac onibai eich bod yn gwybod yn
amgenach, buasech yn myned ar eich [l]lw eich bod yn
clywed pobl New Zealand yn cynnal Cymanfa Ganu.

Weithiau roedd y canu yn ddigon uchel i gario dros dir
neb, fel y tystiodd y Preifat Rowland Roberts o'r
Gaerwen:
Yr ydym y[n] y gwarch-ffosydd eto, ac yr ydym yn cael
hwyl gan fod y Germaniaid yn canu i ni a chanasom
ninau iddynt hwythau.

Yn ôl *Y Faner*, mewn adroddiad ar 13 Chwefror 1915, gallai canu gael effaith nid annhebyg i gadoediad enwog Nadolig 1914:

Gohebydd o dref yn Flanders a ysgrifenai nos Wener yn rhoddi hanes milwr Cymreig o gantwr rhagorol yn un o'r gwarchffosydd Prydeinig. Meddai ar lais tenor swynol, ac un noson clywid ef yn tori allan i ganu yn glonog o ffos ddyfrllyd ac oer. Canodd 'Hob y Deri Dando' nes ennill cymmeradwyaeth uchel ei gyd-filwyr, ac hefyd gweiddid am encôre ar draws o'r gwarchodffosydd Germanaidd. Gwneid y cais hwn mewn Saesneg toredig gan y gelynion. Yr ail waith canodd 'Mentra Gwen', a rhoddid iddo gymeradwyaeth eilwaith gan y Germaniaid. 'A yw Caruso yna gyda chwi?' gwaeddodd un ohonynt ar draws. Ar hyd fe sylwyd fod y cantwr wedi achosi rhyw fath o gâd-oediad rhwng y pleidiau, o blegid tra y canai nid oedd un ergyd i'w chlywed. Am ennyd, fodd bynnag, ymddanghosai pawb fel pe bai gwell anghofio y rhyfel ofnadwy gan wrando ar sŵn y melodi yn dyrchafu o'r ffos Brydeinig. Gwnaed bargen, ar awgrym y Germaniaid, na byddai iddynt danio ergyd arall hyd doriad y wawr os gwnai y milwr ganu etto. Am y drydedd waith canodd y Cymro 'Hen Wlad fy Nhadau', nes adsain trwy y wlad.

Cyfeiriodd Lloyd George yntau at bwysigrwydd canu yn ei anerchiad fel Llywydd y Dydd yn yr Eisteddfod Genedlaethol yn Awst 1916:

Dywedodd Mr. Lloyd George yn Eisteddfod Aberystwyth ddydd Iau, fod gan y Cymry fel cenedl hawl i ganu y dyddiau hyn. Mae'r Creawdwr Mawr, meddai, wedi ordeinio i'r aderyn pereiddiaf yn y wig, i ganu yn y nos. Gallwn ninnau ganu llawer o'n gofid ymaith, er fod y nos yn llenwi'r ffurfafen.

Serch hynny, erbyn Awst 1916 roedd 'na fwy o ofid yn cerdded y wlad nag y gallai neb ei ganu ymaith. Nid ffeirio caneuon yr oedd milwyr y llinellau blaen yn Ffrainc bellach ond yn hytrach fwledi a dur. Roedd brwydr y Somme yn ei hanterth ers mis a mwy, a byddin Kitchener yng nghanol cyflafan na welwyd mo'i thebyg cyn hynny, hyd yn oed yn ystod y rhyfel gwaedlyd hwn.

• • •

Ym mis Mehefin 1916 roedd Dafydd Jones wedi gorfod esbonio wrth ei fam pam ei fod newydd anfon dillad gwely 'nôl adref:

Nid wyf wedi symud i wlad boethach er y carwn gael mynd. Yr oeddem yn gorfod gwneud ein kit i 35 lbs. Felly yr oedd yn rhaid anfon y pethau allem spario adref. Digon possible y bydd i mi anfon am y blancedi etto pan ddaw y gaeaf os byddwn yma am aeaf etto. Gobeithiwn y bydd y cwbl drosodd cyn y gaeaf.

Hwn fyddai ei lythyr olaf adref. Ym mhobman ar hyd 18 milltir o'r ffrynt, roedd dynion yn gorfod gwneud trefniadau tebyg, fel Huw T. Edwards a'i ffrind:

Gennyf fi yr oedd copi o'i ewyllys a f' un innau ganddo yntau. 'Yr wyf yn cyflwyno y cwbl o'm heiddo i –' Peth annaturiol hollol yw i hogyn wneud ewyllys, ond peth annaturiol hefyd ydyw gorfod cysgu gyda gwn yn obennydd.

Roedd y paratoadau ar gyfer y frwydr fawr – y 'big push' fel y'i gelwid gan y cadfridogion, neu'r 'rhuthr fawr' fel y'i disgrifid yn y wasg Gymraeg – wedi bod yn mynd ymlaen ers misoedd. Roedd milwyr newydd wedi eu hyfforddi yn eu cannoedd o filoedd, roedd tunelli o arfau wedi eu pentyrru, ond roedd tipyn o waith paratoi wedi bod yn digwydd hefyd yn y dirgel, ymhell o dan ddaear Ffrainc.

• • •

Ym mhentref La Boisselle heddiw mae nifer o arwyddion yn cyfeirio twristiaid at La Grande Mine neu grater Lochnagar, twll enfawr yn y ddaear ar gyrion y pentref. Yn 1916 roedd llinell flaen yr Almaenwyr yn rhedeg drwy La Boisselle, ac yn gynnar ar fore 1 Gorffennaf, defnyddiwyd 27 tunnell o ffrwydron i chwythu eu llinell i fyny, gan adael twll 90 troedfedd yn y ddaear y gellir ei weld hyd heddiw.

Canlyniad un o'r 17 o ffrwydrynau anferth a daniwyd ar ddechrau brwydr y Somme yw crater Lochnagar, a disgrifiwyd un o'r ffrwydradau hyn gan E. Beynon Davies yn ei gyfrol o atgofion, *Ar Orwel Pell*:

Teimlasom y ddaeargryn yn ein hysgwyd, ac ar yr un pryd dunelli o bridd a rwbel yn cael ei hyrddio i'r awyr.

Roedd hi wedi cymryd misoedd lawer i gwblhau pob un o'r ffrwydrynau hyn, ac roedd Robert Humphreys o Flaenau Ffestiniog yn un o'r rhai a fu'n gweithio dan ddaear, fel y disgrifiodd yn *Y Drych* ar 23 Rhagfyr 1915:

Sialc yw y tir, ac y mae yn berffaith sych yma, ac nid yw yn anhawdd i'w dynu. Wyth awr ydym yn ei weithio, ac yn gorphwys 24 awr.

Roedd yn un o 25,000 o ddynion yn y fyddin a oedd yn gweithio ar y prosiectau hyn, a llawer o chwarelwyr a glowyr o Gymru yn eu plith. Meddai E. Beynon Davies eto:

Ers dyddiau gwyddem fod rhai o'r R.E.'s (bechgyn o'r Rhondda, gan mwyaf) yn brysur yn gwneud twneli i chwythu i fyny ffosydd y gelyn, ac ar yr un pryd clywem sŵn odditanom yn y dug-out – y gelyn yn gwneud yr un peth. Y peth a'n poenai oedd pwy fyddai'r cyntaf i osod y ffiws a thanio ... Yn y cyfamser roedd yn ofynnol i ni fod ar ein gwyliadwriaeth a bod yn barod i wrthwynebu popeth a allasai ddigwydd o ochr y gelyn. Câi'r gwylwyr o flaen y fynedfa i'w twnel ddigonedd o fomiau llaw rhag ofn i'r Boche dorri drwodd.

Wil Jones Edwards o Ffair-rhos oedd un o'r rhai a oedd yn edrych ar ôl y twnelwyr – ac weithiau'n cynnig help llaw iddyn nhw:

Gweithient y nos a chysgu'r dydd. Picas a rhaw oedd eu harfau a byddai rhai ohonom yn eu hebrwng fel gwarchodlu. Gan fy mod yn gyfarwydd â gweithio dan ddaear byddwn yn fynych yn gorfod cymeryd lle un ohonynt. Cymerent lawer o falchder yn eu gwaith â phe byddent yn gyrru talcen glo gartref. Yr oedd yr Almaenwyr yn gwneud yr un peth o'u hochr hwy ac yr oedd sŵn aml gnoc y gelyn yn chwarae ar ein nerfau ac yn gwneud i ni chwysu.

Taniwyd cannoedd o'r ffrwydrynau hyn yn Ffrainc a Fflandrys rhwng 1915 a 1917, pan oedd y rhyfel ar ei mwyaf statig. Gwaith Harry Evans oedd clustfeinio am y gelyn fel y gellid chwythu ei dwneli cyn iddo gyrraedd y ffosydd Prydeinig:

Yn aml byddaf wrth y gorchwyl o chwilio am Fritz o dan y ddaear ... a phan fyddwn yn meddwl y byddwn wedi dod o hyd iddo, ni fyddwn yn hir cyn dangos hyny i'n gilydd, pan welir y ddaear yn myned i fyny yn chwilfriw man.

Weithiau, yr Almaenwyr oedd yn cael y blaen. Dyma lythyr a ysgrifennodd y Capten Dafydd Jones yn gynharach yn y flwyddyn:

Anwyl Fam
... Taniwyd mine odditanom a hyrddiwyd rhai ar

unwaith i dragwyddoldeb, eraill eu clwyfo ac eraill yn dioddef oddiwrth shock ... cafodd un o Blaenpenal ei ladd gan y mine ... Ei enw oedd D. T. Evans; ni wn a oeddech yn ei adnabod. Nid oeddwn ond ymron gorffen siarad a ef dim ond awr neu ddwy cyn iddo gael ei ladd.

• • •

Serch hynny, doedd hyn yn ddim i'w gymharu â'r lladdfa a fyddai'n digwydd ar ddiwrnod cyntaf y Somme. Roedd yr Almaenwyr wedi dewis eu llinell flaen yn ofalus, gan ddefnyddio bryniau isel y wlad i bwrpas. Ger pentref Hamel, ar ael y bryn, mae gweddillion lloches goncrit fach a ddefnyddiwyd gan yr Almaenwyr ar gyfer gosod gynnau peiriant, ac wrth sefyll ynddi heddiw ac edrych i lawr y llethr tuag at y fan lle roedd y llinell flaen Brydeinig, mae'n hawdd dychmygu sut y gallai criw bychan o Almaenwyr ddifa cannoedd ar gannoedd o ddynion wrth iddyn nhw groesi tir neb.

Roedd y cadfridogion Prydeinig wedi rhag-weld hyn. Eu cynllun nhw oedd dinistrio'r ffosydd Almaenig a phawb oedd ynddyn nhw cyn yr ymosodiad, drwy danio arnyn nhw'n ddi-dor am bum diwrnod cyfan, a hynny gyda phob magnel oedd ar gael. Bu W. O. Hughes o Ddeiniolen yn dyst i'r gawod ddur hon, â'i thwrw'n ddigon i ddychryn y milwyr Prydeinig heb sôn am y gelyn:

Roedd syndod yn argraffedig ar wedd aml un, a chredem fod amheuaeth yn meddwl rhai, a oedd ein magnelwyr wedi gwallgofi gan mor enbyd y tanio. Yr oedd yn anichonadwy clywed ein gilydd yn siarad yn swn enbyd y gynau.

Ond tybed a fyddai'r tanio enbyd hwn yn gweithio? Mewn llythyr at ei fam, a gyhoeddwyd yn *Y Drych* yn ddiweddarach, doedd gan Joseph L. Jones ddim syniad beth fyddai'n digwydd:

Mam, yr ydym am ddechreu ar y Germans saith o'r gloch boreu ddydd cyntaf o Orphenaf. Duw a wyr beth fydd wedi cymeryd lle erbyn y cewch y llythyr hwn.

• • •

Ger pentref Beaumont Hamel heddiw mae rhan o faes brwydr y Somme wedi ei gadw fel cofeb barhaol i ddynion Newfoundland yng Nghanada a fu'n ymladd yma. Gallwch gerdded gydag ymwelwyr eraill a phlant ar dripiau ysgol drwy rai o'r ffosydd hyn sydd bellach wedi eu llyfnu gan laswellt, a cheisio dychmygu'r olygfa ychydig funudau cyn hanner awr wedi saith y bore ar 1 Gorffennaf, â dynion yn eu miloedd yn aros i fynd 'dros y top'. Roedd bataliwn o'r South Wales Borderers yn eu plith, a'u nod oedd croesi tir neb, meddiannu llinell flaen yr Almaenwyr sydd i'w gweld yn glir tua 300 llath i ffwrdd, ac yna pwyso ymlaen o'r fan honno. Wnaethon nhw ddim hyd yn oed gyrraedd llinell flaen yr Almaenwyr tan fis Tachwedd.

'Y Ravine' oedd enw'r milwyr ar yr hafn a oedd yn rhan o amddiffynfeydd yr Almaenwyr yn y rhan hon o'r lein, ac ym mynwent '"Y" Ravine' heddiw y gorwedd degau o'r South Wales Borderers a laddwyd ar y diwrnod cyntaf o Orffennaf. Rhyw filltir i ffwrdd, yng Nghoed Autheuille, bu Joseph L. Jones ychydig yn fwy lwcus. Meddai golygydd Y *Drych*:

Cyn haner dydd yr oedd Joseph wedi ei saethu drwy ei belt, ac yr oedd y fwled wedi aros yn ei gefn.

Ond o leiaf fe ddaeth drwyddi. Sut oedd popeth wedi mynd o chwith i'r fath raddau? Llinell yr Almaenwyr heb ei bylchu a fawr ddim tir wedi ei ennill? Pan lwyddwyd i feddiannu ffosydd yr Almaenwyr mewn ambell le, sylweddolodd W. O. Hughes o'r Ffiwsilwyr Cymreig fod rhan o'r ateb yn safon eu hamddiffynfeydd:

Amlwg fod Fritz wedi cyflogi i aros am dymhorau yn y lle gan fod cywreinrwydd y ffosydd yn synu pob un ohonom. Roedd pob 'dug-out' yng nghrombil y ddaear wedi ei goedio a phlanciau wyth modfedd o led wrth 3 i 3.5 modfedd o drwch.

Mae *dug-outs* yr Almaenwyr i'w gweld o hyd mewn mannau: yn Soyecourt, a Pozières, er enghraifft, ac mae'r ffaith eu bod nhw'n dal yno hyd heddiw yn tystio pa mor gadarn yr oedd y gwneuthuriad gwreiddiol. Meddai W. O. Hughes eto:

Gallai deuddeg i bymtheg o ddynion dwylath gysgu mewn lloches glyd wedi ei choedio etc yn ofalus pe buasai mil o shells yn disgyn uwch eu penau. Yr oedd dau agoriad i bob 'dug out' – a thri yn aml – fel y gallai yr Ellmyn celfydd ddianc allan i'r 'branch trench' neu drwy drydydd agoriad allan i ymyl eu barbed wire, ac felly danio o'r tu ol ar ein milwyr. Yn y ffos ei hun yr oedd tyllau wedi eu gwneud i'r parapet fel ag y gallai y dynion fynd iddynt heb golli dim amser pan fyddai y gynau Prydeinig yn tanio arnynt.

A dyna a wnaethon nhw wrth i don ar ôl ton geisio'n ofer i dorri drwy eu llinellau. Enwyd mynwent Danzig Alley ar ôl un o ffosydd yr Almaenwyr a gafodd ei chipio ar y diwrnod cyntaf hwnnw ond, drwy gyd-ddigwyddiad creulon, un o'r Cymry cyntaf i gael eu lladd y diwrnod hwnnw oedd Frank Harris o Danzig Cottage, Llandrindod. Dyma a welodd W. O. Hughes pan ddaeth i'r llinell flaen ychydig ddyddiau yn ddiweddarach:

*[Y]r oedd y maes wedi ei fritho a chyrph y llanciau dewr
... – pob 'shell hole' bron a rhyw druan archolledig ynddo,
yr hwn na feiddiai symud gan fod y Snipers Germanaidd
o fewn cyrraedd ergyd iddynt pe gwelant.*

Collodd Prydain bron i 60,000 o ddynion ar ddiwrnod
cyntaf brwydr y Somme; dim ond 8,000 a gollwyd gan yr
Almaenwyr. Hyd heddiw, dyma'r colledion mwyaf i
fyddin Prydain eu profi erioed mewn un diwrnod.

• • •

Dim ond dechrau gofidiau oedd hyn i'r milwyr Cymreig,
serch hynny. Roedd Adran 38, yr Adran Gymreig newydd
a ffurfiwyd ar gais Lloyd George, yn dal heb gael ei phrofi
mewn brwydr fawr. Eu tro nhw oedd hi nawr, ac roedd
nifer o fataliynau Cymreig yn symud ymlaen, ond ble,
tybed, oedden nhw am ymosod? Dyma W. O. Hughes eto:

*Symudwyd mewn 'fighting order' dros le tebyg i 'Fawnog
y Gof' oedd bob troedfedd bron wedi wedi ei rhidyllio gan
ffrwydrbelenau. Croeswyd trenches a threnches yn swn
aml i shell a chwyrnellai uwch ein penau, a chawsom
orchymyn i gymeryd ein safle mewn ffos neilltuol a fu
ychydig ddyddiau cyn hynny yn lloches y gelyn.*

Roedd Samuel Williams o Drefriw newydd ymuno â
bataliwn arall o'r Ffiwsilwyr Cymreig. Dyma'i ddisgrifiad
o'r hyn yr oedd yn rhaid iddyn nhw ei gario:

*Gyda'r nos dyma gychwyn am y lein. Beichiad o weiar
bigog, rhawiau, ceibiau, bwyd – peth wmbredd o bethau
ac ymlaen a ni.*
Cipio'r Bois de Mametz, neu Goed Mametz, oedd y dasg
a roddwyd i ddeuddeg bataliwn o filwyr Cymreig yn
ystod ail wythnos brwydr y Somme. Heddiw, mae draig
goch o waith y gof David Petersen yn sefyll ar y bryncyn

gyferbyn â'r coed lle'r ymgasglodd milwyr yr Adran Gymreig ar fore 10 Gorffennaf. Roedd W. O. Hughes ar ben y bryncyn gyda'i Lewis Gun y bore hwnnw:

Codais fy mhen i gael un olwg ar y bechgyn glew oedd oddi tanom ac yn wir fe erys yr olygfa ar fy nghof ddyddiau fy oes – pob un 'with fixed bayonet and in extended order' ac un glin ar lawr.

Yr ochr draw yr oedd y coed – y 'Mametz Wood' – heb yr un gelyn i'w weld, ond teimlai pawb rywsut fod y lle yn llawn maglau ac angau ei hun megis yn cyniwair o amgylch y fan.

Un o'r milwyr yn y ffosydd oddi tano a oedd yn disgwyl cael ei alw ymlaen fel rhan o'r ymosodiad oedd J. C. Rowlands:

Ar doriad y wawr wele ninnau dan arfau yn barod. Ac yna llefarodd y magnelau – o fel y taranent. Gwelem frigau y coed drwy gymylau tew o fwg, yma ac acw wele bentwr o ddaear Ffrainc yn dyrchafu i'r entrych. Mewn manau eraill dacw'r mwg yn cael ei hollti gan ffrwydriad pelan ar ol pelan uwch ben ac o gwmpas y llanerch erch honno.

Roedd bataliwn J. C. Rowlands wedi ei chlustnodi i fod yn rhan o'r ail ymosodiad yn ddiweddarach y bore hwnnw, ac roedd y disgwyl yn chwarae ar ei nerfau:

Dirwynai yr oriau ymlaen. Beth oedd rhan ein cydfilwyr oedd o'n blaen tybed? Amser pryderus oedd hwn. Ni amheuem eu llwyddiant, ond dyfalem pwy ohonynt oedd bellach wedi croesi'r gorwel.

O'r diwedd dyma newydd. Yr oeddynt yn y Coed, hanner y ffordd drwyddi, ac yr oeddym ninnau i fod i'w cynorthwyo i orphen y gwaith. Symudasom ymlaen, yr oeddym yn ymwybodol o belenau o bob maint yn chwalu o'n cwmpas a darnau ohonynt yn chwyrnellu drwy'r awyr. Yr oedd y gelyn yn tywallt 'cawodydd o'i fendithion' arnom. Rhuai ein magnelau ninnau y tu ol, ac yr oedd y twrf a'r ysgrechiadau yn ddiddiwedd. Ond neshaem at y Coed.

Lle tawel yw'r Bois de Mametz heddiw, a natur wedi adfer y coed i'w gogoniant gynt. Dim ond y pantiau ar lawr y goedwig sy'n aros i ddangos sut y creithiwyd y lle â thyllau sieliau 90 mlynedd yn ôl. Ond, lle mae tawelwch heddiw, stori arall oedd hi i J. C. Rowlands:

Disgwyliai rhai ohonom i'r goedwig gau allan y swn aruthrol, ond yma yr oedd yn fwy byddarol – Coed drylliedig yn disgyn, y pelennau yn ffrwydro, a'r machine guns yn poeri celanedd creulawn, bwledi yn suo ac yn chwiban drwy y perthi dryslyd. Y meirw a'r clwyfedig o'n cwmpas – Cyfeillion yn cwympo yma byth i godi mwy, ninnau heb amser i'w cynorthwyo na'u hymgeleddu.

Yng ngwres y frwydr teimlai J. C. Rowlands ei hun yn ymchwyddo gan deimladau gwladgarol:

Llama un o'n swyddogion ymlaen a llefai, 'Come on the Welsh', ac yna syrthia gan ruddfan. Yn awr neu byth. Peidia y cawodydd a'n rhidillio am eiliad ac yna llamwn ymlaen. Gwelwn y gelyn, dyma ddigon. Y mae y gwaed Cymraeg yn berwi ynom. Ymwthiwn trwy y llwyni dryslyd a dacw'r bidog yn fflachio ac yn ymgladdu yn ysgarbwd Almaenaidd. Dyn yn erbyn dyn – Tydi neu efe i syrthio. Ac yn fwyaf cyffredin efe oedd yn syrthio ... Ond yr oeddym yn colli ein bechgyn goreu.

Saethwyd W. O. Hughes drwy ei fraich cyn iddo hyd yn oed gyrraedd y coed:

Gwedi 'dodgio' pob sniper am dros 40 munud, cafodd Fritz ei gyfle i dalu'n ol. Pan ar fin neidio i lawr i'r ffos aeth un o'r mynych fwledi drwy fy mraich dde.

Roedd yn frwydr galed. Pan aeth Samuel Williams drwy Goed Mametz ar 13 Gorffennaf, dyma a welodd:

Elem trwy ganol tir oedd wedi ei gorddi gan y tanbelennau – a chyrff milwyr a laddwyd yn lluoedd o'n cwmpas. ... Cofiaf weld milwr German wedi ei gadwyno wrth ei machine gun.

Roedd wedi cymryd tridiau i gipio'r coed oddi wrth yr Almaenwyr. Yng ngwres y frwydr collodd Wil Jones Edwards gysylltiad â gweddill ei fataliwn:

Pan grwydrwn o fan i fan yn ystod y nos heb ddim syniad pa le yr oeddwn gwelais belydryn o oleuni yn dod o dug-out. Neseais ato'n dawel fach ac mewn amser megais ddigon o galon i ofyn, 'Who's there?' Rhaid fy mod wedi llefaru ag acen Gymraeg oherwydd yr ateb a gefais oedd 'Dewch i mewn.' 'Chlywias i ddim tri gair mor swynol yn fy mywyd. Ar ôl cyfarwyddo â'r tywyllwch, a oleuid ryw fymryn gan olau cannwyll, gwelais mai un o'r South Wales Borderers a'm croesawai. Yr oedd gwên ar ei wyneb siriol ac meddai, 'O ble ŷch chi'n dod?' Atebais, 'O Aberystwyth.' 'Wel, wel,' meddai ef, 'un o Lambed wyf fi.'

Ond prin oedd yr eiliadau ysgafn fel hyn yng Nghoed Mametz. Mae Samuel Williams yn disgrifio sut y gallai dyn golli gafael ar bopeth, wrth iddo yntau gwffio mewn coedwig gyfagos yn Delville Wood:

Anodd oedd amgyffred pa faint o amser oedd wedi mynd heibio. Cofiaf fod 'dwr' wedi dod i fyny i'r lein mewn tuniau petrol – ac yn wir yr oedd blas petrol yn drwm arno.

Ac wrth symud ymlaen i ymuno â'r frwydr honno, edrychodd J. C. Rowlands 'nôl ar Goed Mametz gan ystyried mor ddrud y bu'r fuddugoliaeth yno:

Wedi gorphen ein gwaith, a'r Goedwig yn feddiant i ni, gadawsom hi, dan ei mantell o fwg, ei daear wedi ei throchi [â] gwaed ein cyfeillion, – wedi ei hystaenio, ie ond yn gysygredig, canys yr oeddym wedi ei henill [â] gwerthfawr waed – gwaed goreu a phuraf Cymru. A phan gilia llanw yr ornest erchyll hon, a phan bydd cysgodion tywyll y goedwig hon yn ddistaw a thawel, a'r Hydref wedi cyffwrdd ei dail ag aur, bydded iddynt ddisgyn yn esmwyth – yn dorch clodfawr o ogoniant o gwmpas ein brodyr dewr sydd yn huno yno.

Collwyd yn agos i 4,000 o filwyr Cymreig yng Nghoed Mametz: 4,000 o delegramau yn cyrraedd aelwydydd yng Nghymru; 4,000 o drasiedïau unigol.

Glöwr o Senghennydd oedd Frederick Hugh Roberts ac un o'r rhai lwcus oedd wedi dianc rhag y danchwa enwog yn 1913 pan laddwyd dros 400 o'i gyd-weithwyr. Y noson cynt roedd wedi bod yn dathlu, ac roedd yn rhy sâl i fynd i'w waith ar y diwrnod tyngedfennol. Ond ni fu mor ffodus yng Nghoed Mametz.

• • •

Roedd Llywodraeth Prydain yn ceisio darbwyllo pobl 'nôl gartref fod 'awr buddugoliaeth wedi cychwyn ar draethau'r Somme', ond roedd sawl golygydd papur newydd yn amau nad felly oedd hi. Yn eu plith yr oedd golygydd *Y Celt a'r Cymro Llundain* yn ei erthygl ar 15 Gorffennaf 1916:

Mae'r awdurdodau yn ceisio ein cysuro drwy ddweyd fod yr ennill yn fawr ac mai ychydig ydyw nifer ein colledion. Ar yr un pryd rhaid cydnabod mai wythnos yn llawn pryder ydyw wedi wedi bod i filoedd o deuluoedd ein gwlad, a phrawf y rhestri maith o glwyfedigion, gyhoeddir y naill ddydd ar ol y llall, fod ein bechgyn yn Ffrainc ar eu prawf bob mynud awr y dyddiau hyn.

Un o Gymry Llundain oedd yr Is-gapten R. G. Rees, o dde Kensington. Cafodd ei ladd gan ddarn o shrapnel yn ei wddf pan oedd yn arwain ei ddynion i mewn i Goed Mametz. Mae ei fedd ym mynwent Serre Road Rhif 2, ac ar y garreg mae'r adnod, 'Mi a ymdrechais ymdrech deg, mi a gedwais y ffydd.' Yn ôl golygydd *Y Celt a'r Cymro Llundain*, mewn erthygl goffa a gyhoeddwyd ar 5 Awst 1916:

Meddyliai lawer am ei fam a'i gartref. Ysgrifennai air adref bob dydd os medrai rywsut ... Huned yn dawel yn naiar Ffrainc gyda miloedd o Gymry dewrion.

Yng Nghoed Mametz hefyd y bu farw'r Capten Dafydd Jones, Llanddewibrefi, ond yn wahanol i'r Is-gapten o Gymro Llundain, does ganddo ddim bedd. Mae ei enw ar gofeb Thiepval, ynghyd ag enwau 72,000 o ddynion eraill a fu farw ar y Somme ond nad oedd modd cael hyd i'w cyrff i'w claddu. Thiepval yw'r gofeb fwyaf yn y byd i'r rhai a gollwyd o fyddin Prydain; cyfyd 150 o droedfeddi i'r awyr ac mae ar ffurf bwa sy'n cael ei gynnal gan 16 o bileri – ac ar wynebau'r pileri hyn y ceir enwau'r meirwon. Cymerodd bedair blynedd i'w hadeiladu ac mae ei maint anferthol yn tanlinellu maint colledion y Somme.

Yno, wrth syllu ar y rhestrau enwau sy'n codi tua'r to, mae modd synhwyro trasiedi creulon y polisi o recriwtio dynion o'r un ardal i wasanaethu ochr yn ochr â'i gilydd – y 'Pals Battalions', chwedl y Sais – heb ystyried y gost i'w cymunedau pan fyddai'r holl ddynion ifainc hyn yn marw gyda'i gilydd hefyd. Byddai'r dynion a enwir yn Thiepval yn ddigon i lenwi Stadiwm y Mileniwm bron, a dim ond enwau hanner y rhai a fu farw ar y Somme sydd yno.

Mae Thiepval hefyd yn gofeb i fyddin Kitchener, a gymerodd yn agos i ddwy flynedd i'w hyffordd ac a gafodd ei chwalu mewn un frwydr ar y Somme.

• • •

Cafwyd 'cofeb' o fath gwahanol i ddewrion y Somme mewn ffilm a gafodd ei chwblhau a'i dangos tra oedd y frwydr yn dal yn ei hanterth. Roedd J. D. Davies o Flaenau Ffestiniog yn bresennol yn un o'r dangosiadau cyntaf ar 21 Awst 1916, yn y Polytechnic Hall ar Regent Street yn Llundain. Ceir ei ymateb yn *Y Seren*:

Nis gellir ei ddisgrifio fel entertainment mewn unrhyw fodd. Y mae yn rhy sobr, lawer rhan ohono, i neb edrych arno er mwyn difyrwch ... Mae'r darlun hynod hwn wedi ei gymeryd dan gyfarwyddyd Swyddfa Rhyfel gan ddynion sydd wedi peryglu eu bywydau er mwyn rhoi i Brydeinwyr argraff gywir o'r hyn sy'n mynd ym mlaen yn Ffrainc.

Roedd y Swyddfa Ryfel wedi bod yn araf i weld posibiliadau'r cyfrwng cymharol newydd hwn. Wnaethon nhw ddim caniatáu unrhyw ffilmio swyddogol yn ffosydd Ffrainc a Fflandrys tan fis Tachwedd 1915. Ond fedren nhw ddim anwybyddu poblogrwydd anhygoel ffilm. Roedd 'na 5,000 o sinemâu ym Mhrydain erbyn Mehefin 1916, ac allan o boblogaeth o 43 miliwn, roedden nhw'n denu cynulleidfaoedd o 20 miliwn bob wythnos.

Roedd y posibiliadau o ran propaganda yn enfawr, ac erbyn diwedd y rhyfel roedd y Llywodraeth wedi buddsoddi mewn fflyd o sinemâu teithiol i ymweld â'r trefi a phentrefi llai. Ffilmiau byrion oedd y rhai cyntaf a wnaed dan nawdd y Swyddfa Ryfel yn 1916, ond erbyn canol y flwyddyn honno roedd perchenogion y sinemâu yn dyheu am rywbeth mwy swmpus. Cytunwyd i wneud ffilm 80 munud am frwydr y Somme. Hon fyddai un o ffilmiau enwocaf y rhyfel hwn. Meddai J. D. Davies:

Na, nid entertainment yw darlun Brwydr y Somme, ond pregeth ddifrifol ar wallgofrwydd rhyfel. Yn lle cymeradwyaeth, ambell i ochenaid yn dianc yn ddiarwybod i'r edrychydd, oedd yn dweyd mor dda oedd y darluniau.

Y dynion camera a fu'n gyfrifol am 'ddarluniau' *The Battle of the Somme* oedd yr Is-gapteiniaid McDowell a Malins, ac fe gafodd y ddau sawl dihangfa lwcus tra oedden nhw'n ffilmio. Dyma J. D. Davies eto:

Nid darluniau gwneyd ydynt. Maent mor gywir fel y mae eu 'reality' ar brydiau yn gyffro poenus i rai na feddant ddim profiad o ryfel.

Ond, fel y gwyddom bellach, nid yw hynny'n hollol wir. Mae ffilm y Somme yn gyfuniad o ddigwyddiadau go-iawn ac ambell beth a lwyfannwyd yn ddiweddarach, fel y siot enwog o'r dynion yn mynd dros y top. Daeth y twyll i'r amlwg yn fuan wedyn pan aeth un o gyd-weithwyr Malins i ffilmio mewn gwersyll hyfforddi yn Ligny St Flochel. Ar ddamwain, canfu'r gwir. Meddai: 'A chap passing by saw my camera and tripod. "Excuse me," he said, "do you know Lt. Malins?" I said, yes. "I wonder how his pictures came out. He did a lot here at the battery school. I was one of the blokes that fell down dead in the trench." '

Ond doedd dim byd ffug am y siot o'r ffrwydrad anferth ar Hawthorn Ridge, a dyma ddisgrifiad J. D. Davies o'r olygfa honno:

Dacw fein enfawr yn cael ei danio, a'r ddaear o dan

trenches y gelyn yn cael eu chwythu i'r entrychion yn un cwmwl o fwg du y pylor a llwch gwyn y calch, nes dallu'r holl ffurfafen. Dyma'r rhan fwyaf dyddorol o'r darlun i ni, oblegid gwyddem mai gwaith meinars Ffestiniog ydoedd, a'u bod wedi helpu yn effeithiol i roi cychwyn i'r ymosodiad mawr.

Roedd siots fel honno a dynnwyd yn ystod y frwydr yn dangos nad llwfrdra oedd yn gyfrifol am y ffugio, ond yn hytrach y ffaith na fedrai Malins a McDowell fod ym mhobman. Cefndir drama oedd gan Malins beth bynnag, nid cefndir newyddiadurol – roedd am blesio'r gynulleidfa. A does dim amheuaeth na lwyddodd y ffilm i wneud hynny; gwnaeth elw o £30,000 o fewn y ddau fis cyntaf.

Agorodd mewn 34 sinema ar draws Llundain ddiwedd Awst 1916. Daeth 1,500 o bobl i'r noson gyntaf yn y Clapham Majestic ac roedd 35,000 wedi gweld y ffilm yn y sinema honno yn unig yn ystod yr wythnos gyntaf. Yn y Finsbury Park Rink roedd 50,000 wedi ei gweld yn yr wythnos gyntaf, a hawliwyd bod miliwn o bobl Llundain wedi gweld y ffilm o fewn wythnos, cyn iddi ddechrau ar ei thaith o gwmpas Prydain.

• • •

Os oedd ffilmiau fel *The Battle of the Somme* yn dwyn y rhyfel yn nes at bobl Cymru, felly hefyd rai o benderfyn-iadau'r Llywodraeth, fel yr oedd golygydd *Y Darian* wedi sylwi mor gynnar â 13 Awst 1914:

Y mae bywyd y genedl wedi ei chwildroi, pawb a phopeth yn ddarostyngedig i awdurdod uniongyrchol y Llywodraeth. Hawliau unigolion yn cael eu hanwybyddu, er llesiant a diogelwch y lliaws.

Yn 1916 y gorchmynwyd troi'r clociau am y tro cyntaf i

arbed tanwydd. Ac yn yr un flwyddyn cyflwynwyd y Ddeddf Goleuo, neu'r hyn fyddai'n cael ei adnabod yn yr Ail Ryfel Byd fel 'y blacowt'. Manylwyd ar gynnwys y Ddeddf gan olygydd *Y Seren* ar 19 Awst 1916:

Dim goleu i fod yn weledig trwy y ffenestri nac unrhyw ffordd arall, mewn unrhyw dy na masnachdy ar ol dwy awr wedi machludiad yr haul.

Roedd dirwy sylweddol o £100 am beidio â chydymffurfio. Yn ôl golygydd *Y Seren* eto:

Amcan y ddeddf newydd yw dyrysu cynlluniau y Zepelins a yrrir gan y Germaniaid i achosi difrod a galanas ym Mhrydain.

Mae'n debyg nad oedd Zeppelins yn llawer o broblem i ddarllenwyr papur *Y Seren* yn y Bala, ond roedden nhw wedi gadael eu hôl eisoes ar y gymuned Gymraeg yn Llundain. Meddai golygydd *Y Celt a'r Cymro Llundain* ar 23 Hydref 1915:

Brawychwyd Cymry'r ddinas y dydd ar ôl ymweliad yr awyr-longau Ellmynig gan y newydd fod y foneddiges ifanc, Miss Katie Jones ... yn mysg y lladdedigion ... Yn marwolaeth Miss Jones cyll eglwys Falmouth Road un o'i chymeriadau prydferthaf a gweithiwr ffyddlon ynglyn a phob adran o'r achos. ... Daeth torf fawr i orsaf Paddington nos Lun diweddaf, pryd yr aethpwyd a'r gweddillion i Aberystwyth, ac amlygwyd y cydymdeimlad dyfnaf a'r teulu galarus.

Rhyw 1,200 a laddwyd gan y Zeppelins, nifer bychan o'i gymharu â'r miloedd a gollwyd yn y Blitz, genhedlaeth yn ddiweddarach; ond am y tro cyntaf roedd y werin 'nôl gartref yn cael ei brawychu drwy gael ei thargedu gan y gelyn. Dyna oedd wedi cynhyrfu golygydd *Y Brython* ar ôl un o'r cyrchoedd cyntaf, ar 28 Ionawr 1915:

*Pan fo'r Zeppelin yn nofio uwchben trefi ein Hynys ni, ni
wel wahaniaeth rhwng aelwyd ddiniwed hen bobl a
chaerfa filwrol, na rhwng mam yn cofleidio'i baban a
milwr yn gwasgu gwn. Llwyddodd ar y rhuthr hwn i ladd
pobl ddiniwed, ac archolli mwy na hynny.*

Hawdd, felly, yw deall y cyffro pan gafodd Zeppelin ei
saethu i lawr am y tro cyntaf uwchben Llundain ym Medi
1916. Fe wnaeth sŵn y gynnau ganol nosdynnu hanner
trigolion y ddinas allan o'u tai i wylio, wrth i'r 'chwilwyr'
neu lifoleuadau ei gwneud yn darged hawdd.
Cofnodwyd yr olygfa anhygoel ar 9 Medi gan olygydd *Y
Celt a'r Cymro Llundain*:

*Diau mai digwyddiad pennaf yr wythnos oedd y
fuddugoliaeth ar yr awyrlong Germanaidd welwyd gan
filiynau pobl Gogleddbarth Llundain fore Sul diweddaf.
Yr oedd nifer o'r cenhadon dinistriol hyn wedi croesi'r
môr ac yn hedeg yn nghyffiniau Llundain, ond ni ellid i
sicrwydd eu lleoli ... gan mor dywyll y nos ac mor
gymylog yr awyr. Erbyn dau o'r gloch y boreu torrodd un
o'r fintai i awyr gliriach yn nghyffiniau'r ddinas gyda'r
canlyniad i'r chwilwyr ei ddarganfod, a thaniwyd arni gan
ugeiniau o fegnyl croch, y rhai ddihunasant y ddinas o'i
chwsg. A gyrru'r miloedd allan o'u tai er mwyn gweld yr
olygfa ofnadwy ar y goror. Am chwarter awr buwyd yn
tanio ar y wiblong feiddgar, a chyn hir gwelwyd ei bod
wedi ei tharo. O leiaf wele fflam yn esgyn o honi, ac yna
dacw hi yn graddol ddisgyn i'r llawr, gan oleuo'r ddinas
megys haul y boreu o un cwr i'r llall. Ni fu'r fath olygfa
erioed o'r blaen ... ac ni chlywid y fath floeddio a
chwibanu gan bobl a pheiriannau yn y parthau hyn. Yr
oedd y gelyn wedi ei goncro ac aeth pawb i fwynhau
gweddill eu cwsg gan wybod eu bod yn ddiogel o hyn
allan rhag ymweliadau'r dychrynfeydd hyn.
Ar y dechreu nid oedd awdurdodau Berlin yn barod i
gyfaddef fod un o'r Zeppelins wedi ei dinystrio. Ond*

gwaith rhy anhawdd ydoedd celu yr hyn welwyd gan dair miliwn o bobl!

Roedd fy mam-gu fy hun ymhlith y tair miliwn a dystiodd i ddiwedd y Zeppelin uwchben Llundain y noson hono. A chanddi hi y cefais i grair rhyfedd, sef tamaid o fetel ar ffurf y llythyren 'z' wedi ei glymu ar gerdyn. Dyma'r hyn sydd wedi ei argraffu ar y cerdyn: 'Zepp Charm. Made out of Framework of Zeppelin brought down in Essex by the Aircraft Defences, September 1916'.

• • •

Roedd y rhyfel yn yr awyr wedi datblygu'n rhyfeddol o sydyn o fewn amser byr. Yn 1909, tra oedd yr Almaen yn gwario £40,000 y flwyddyn ar hedfan milwrol, doedd awdurdodau Prydain yn gwario dim! Fis yn unig cyn dechrau'r rhyfel, roedd Douglas Haig, un o brif gadfridogion Prydain, wedi dweud wrth ei staff: 'I hope none of you gentlemen is so foolish as to think that aeroplanes will be able to be usefully employed for reconnaissance in the air.'

Ond, yn fuan iawn, gwelwyd gwerth awyrennau nid yn unig fel 'llygaid i'r fyddin', at ddibenion reconnaissance, ond hefyd fel modd i ymosod ar y gelyn, ar y tir ac ar y môr. Sefydlwyd yr RNAS – y Royal Naval Air Squadron – fel rhan o'r llynges, a'r RFC – y Royal Flying Corps – fel rhan o'r fyddin.

Roedd 'na rywbeth am y rhyfel yn yr awyr oedd yn hudo dychymyg y milwyr cyffredin, fel y tystiodd y Capten Dafydd Jones o Landdewibrefi cyn ei farw ar y Somme:

Annwyl fam,

... Yr unig beth rhyfedd yw grybwyll heddyw, yw yr aeroplanes sydd yn hedfan oddiamgylch yma y ddyddiau yma; maent mor aml bron ag adar [ac] y maent yn edrych

yn odidog dros ben i fyny yn yr awyr. Maent yn berffaith
up to date hefyd. Machine guns arnynt bob un. Beth am
fight yn yr awyr tua dwy fil o droedfeddi i fyny? Real
living picture eh.

Roedd Lionel Rees o Gaernarfon yn un o'r peilotiaid yr
oedd Dafydd Jones mor eiddigeddus ohonyn nhw.
Ymunodd â'r RFC yn 1914, ac ef oedd un o *air aces* cyntaf
y rhyfel; ar ddiwrnod cyntaf brwydr y Somme, enillodd
Groes Fictoria am ymosod ar ddeg awyren ar ei ben ei
hun, gan saethu dwy ohonyn nhw i lawr cyn iddo gael ei
saethu yn ei goes. Fedrai o ddim cerdded tan ddiwedd y
flwyddyn ac yn Ebrill 1917 fe'i hanfonwyd i'r Unol
Daleithiau i gynghori ynglŷn â hyfforddi peilotiaid y
wlad honno, a oedd newydd ymuno â'r rhyfel. Roedd
Rees yn cael ei ddefnyddio fel pin-yp i hybu'r achos
oherwydd ei ddewrder yn Ffrainc, a bu'n teithio ac yn
siarad ar draws y wlad.

Un arall a wasanaethodd gyda'r RFC oedd yr Is-
gapten Elwyn Roberts o Lanllyfni (brawd Ivor Glyn
Roberts, a ysgrifennodd am ei brofiadau ym mrwydr Hill
60 yn 1915). *Observer* oedd Elwyn; ei waith oedd tynnu
lluniau o safleoedd y gelyn, yn ogystal â gwarchod y
peilot gyda'r gwn peiriant a osodwyd ar gefn yr awyren.
Cofnododd *Y Clorianydd* beryglon y gwaith hwn:

Cafodd ddihangfeydd cyfyng ar dri amglylchiad. Un tro
maluriwyd ei sedd yn chwilfriw gan ddarn o dan-belen
pan oedd ef ar ei draed, ac ar amgylchiad arall collodd y
peilot reolaeth pan oedd yn yr uchder o 7,000 o droedfeddi
a'r gwynt yn gryf ar y pryd. Cwympodd y peiriant i lawr
yn hollol ddi-help am 1,500 o droedfeddi, yna ymsuddodd
ar ei drwyn i'r ddaear. Yn ei lythyr olaf adref, adroddodd
am ddihangfa gyfyng arall. Chwythwyd darn o'i beiriant
o fewn troedfedd i'w ben, gan belen gwn gwrth-awyrol;
tyllwyd y map oedd yn ei law a rhwygwyd ei got. 'Y
mae'r Huns yn saethwyr ardderchog gyda'u gynau gwrth-

awyrol,' meddai yn y llythyr, 'a chawn hwyl wrth geisio eu hosgoi.'

Yn anffodus, ni fedrai yntau osgoi'r gynnau am byth, a phan drawyd ei awyren, uwchben Rhoques ar 10 Chwefror 1917, neidiodd i'w farwolaeth yn hytrach na llosgi. Ni chafwyd hyd i'w gorff.

● ● ●

Erbyn Tachwedd 1916, roedd yr ymgyrch fawr ar y Somme yn dirwyn i ben, gyda'r ddwy fyddin yn sownd ym mwd y gaeaf, ac o ganlyniad roedd ychydig llai o bwysau ar y milwr cyffredin. Gellid poeni mwy am bethau fel glaw a gwlybaniaeth yn hytrach na bygythiad y gelyn. Dyma lythyr gan William Thomas Williams ym mis Rhagfyr 1916:

Mae wedi gwlawio yn drwm iawn yma neithiwr, ac y mae pob man wedi gorlifo. Pan ddeffroais y bore yma y peth gyntaf glywais oedd afon wyllt yn murmur ar ei thaith i lawr y grisiau, ac yr oedd dyfroedd wedi croni ar y gwaelod nes ffurfio llyn bychan. Pan godais yr oeddwn yn falch iawn o weled y rhan lle 'roeddwn i ynddo yn berffaith sych. Wrth gwrs mae fy ngwely tua llathen uwchlaw y llawr. Y rheswm fod y dwr yn dyfod i lawr y grisiau ydyw y ffaith fod llygod mawr yn tyllu i lawr o'r ffos (trench) ar y top. Ar ol gwlaw bydd y ffos yn llawn dwr, ac yna y mae yn rhedeg i lawr tyllau y llygod, ac yn dod allan rhywle tua chanol y grisiau. Nid oes diferyn o ddwr yn dyfod drwy y to na thrwy ochrau y dugout. Mae yn berffaith sych ymhob man, ac onibai fod y llygod wedi tyllu i mewn buasai yn un o'r lleoedd mwyaf clyd yn Ffrainc.

Os oedd y pwysau'n llai ar y milwr cyffredin, mae'n debyg fod caplaniaid Cymraeg y fyddin mor brysur ag erioed. Gofynnid iddyn nhw helpu gyda sensro llythyrau a chyfieithu i filwyr uniaith mewn court *martial*, yn ogystal â threfnu moddion gras i'r milwyr ac ymweld â'r clwyfedigion. Ac wrth gwrs, roedd galwadau cyson llai pleserus ar eu hamser.

Un o gyfrifoldebau caplaniaid y fyddin oedd arwain angladdau, a hynny weithiau dan amodau anodd iawn, fel yn Rhagfyr 1916 pan gafodd un o gyd-filwyr Ifan ab Owen Edwards ei ladd allan yn nhir neb. Roedd y milwr yn dychwelyd o gyrch nos ar ffosydd y gelyn ar y pryd, ac nid oedd modd dod â'i gorff yn ôl o'r twll sielio, neu'r 'pwll', chwedl Ifan ab Owen Edwards, lle gorweddai. Dyma ddisgrifiad Ifan ab Owen Edwards o'r hyn a ddigwyddodd wedyn:

Adnabai caplan y gatrawd ei dad, magwyd hwy yn nghyd, a phan glywodd y newydd am gwymp y bachgen, penderfynodd fynd allan i'w gladdu. Dywedodd ei fwriad wrth ben swyddog ei gwmni, ac yn fuan ar ol tywyllu y noson wed'yn aeth efe, dau swyddog, a chwe milwr, trosodd i'r lle hunai'r bachgen.

Tra yn y pwll yr oeddynt mewn dyogelwch cymharol, a buan y cloddiwyd bedd syml, a chladdwyd y bachgen yno. Angladd byr oedd canys goleuai'r gelyn y fan er rhwystro unrhyw ail ymgais fel y noson o'r blaen. Sibrydodd y caplan benod o'r Testament newydd, a gweddiodd yn isel. Sisialai pelennau y gelyn, ac ehedai bwledi dros eu penau. Disgynai'r pelenau gerllaw weithiau; ac fel pe mewn gorchymyn i reddf natur, plygai y milwyr yn ddiarwybod, ond safai'r caplan yn syth a'i wyneb yn oleu, oleu. Ni allent ond sibrwd y don a glywir mor aml yn Nghymru – 'Bydd myrdd o ryfeddodau'. Bas dwfn oedd eu [l]leisiau oddigerth un, bachgen o Ffestiniog a sibrydai efe y tenor yn glir. Ail ganwyd y pennill claf, a bu'r cwmni rhyfedd hwn yn sefyll yn bennoeth, heb symud am enyd, mewn shell crater yn No man's land, dan fyfyrio. Mewn dystawrwydd y cauwyd y bedd, a throisant bob un ei ffordd eu hun yn eu holau.

Bu James Evans yn gaplan gyda'r milwyr Cymreig yn
Ffrainc ac ysgrifennodd gyfres o lythyrau at bapur
Y Darian yn Aberdâr yn adrodd ei hanes:

*Y perigl mwyaf i ugeiniau o'r bechgyn ydyw nid cael eu
lladd, ond ymgynefino â tharanau a mellt, nad oedd
Sinah ond megis chwarae plant o'u cymharu â hwynt, ac
ymgaledu fel y graig gallestr.*

Roedd yn falch o gofnodi nad felly oedd hi gyda llawer o'i
braidd:

*Y nos Sul cyn iddynt fyned i'r ffosydd, bu gennym
Gymundeb, a daeth llawer ohonynt yno. Ar y diwedd aeth
pedwar i weddi, y naill ar ol y llall heb eu gofyn, a phe
byddai amser yn caniatau fe ddilynai eraill. A thystia
pob un ei barodrwydd i farw os hyn fai'r cwpan, am fod
eu 'mater yn dda' gyda Duw, a gweddient yn daer am eu
rhieni a'u gwragedd gartref gael yr un cymorth i 'ddal yr
ergyd', os hynny fyddai'u rhan. Nodaf hyn i ddangos mai
nid swn y tabwrdd yw gwladgarwch llawer o'r bechgyn
yma, ond arwriaeth Cristnogol sydd yn ennill grym wrth
ddynesu at awr y prawf, a cholyn angeu ei hun wedi ei
dynnu.*

Efallai mai'r gweinidog enwocaf a fu'n gwasanaethu fel
hyn yn y llinell flaen oedd Cynddelw Williams o
Aberystwyth. Disgrifiodd un o'i wasanaethau yn ei
ddyddiadur ar 23 Gorffennaf 1916, gan awgrymu mor
fyw oedd y perygl:

*Am 6 yn yr hwyr roedd gennym gyfarfod gerllaw ein
trenches ... Roedd ar yr awdurdodau ofn i ni gynal
cyfarfod yn yr awyr agored ... rhag i ni gael ein gweled
gan y gelyn. Dalient i belennu yn o drwm.*

Rhannodd holl beryglon bywyd y milwyr am dros ddwy flynedd, a chydnabuwyd ei ddewrder yn swyddogol. Dyma'i gofnod ar gyfer 17 Chwefror 1917:

Cefais fy urddwisgo a'r groes filwrol gan y Brenin Sior V yn Buckingham Palace ... Ysgwydodd y brenin law â mi a dywedodd wrthyf, 'I am glad to give you the military cross'.

Ond yr hyn a roddai wir foddhad iddo oedd tystiolaeth fod ei weinidogaeth yn dwyn ffrwyth. Dyma beth a welodd yn ystod brwydr Serre yn Nhachwedd 1916:

Pump neu chwech o fechgyn mewn shellhole, a dau ohonynt a thestamentau yn eu llaw; yno yr oeddynt yn ymdrin ar ryw wirionedd ysgrythyrol mewn llecyn llawn perygl.

• • •

Fel gweinidog ordeiniedig, mynd i'r ffosydd o'i ddewis ei hun a wnaeth Cynddelw Williams. Ond o dan y Ddeddf Gonsgripsiwn gellid gorfodi myfyrwyr diwinyddol i'r fyddin fel pawb arall.

Felly, ar ddechrau 1916 roedd y Cadfridog Owen Thomas wedi argymell sefydlu cwmni Cymreig o'r RAMC neu'r Corfflu Meddygol, fel y gallai darpar weinidogion Cymru wasanaethu yn y fyddin heb orfod dwyn arfau. Cydymdeimlo â'u hegwyddorion Cristnogol oedd hyn – ynteu ffordd gyfrwys o'u rhwystro rhag troi'n wrthwynebwyr cydwybodol?

Bid a fo am hynny, ar ôl treulio rhai misoedd yn Llandrindod ac yn Sheffield, erbyn Medi 1916 roedd cwmni Cymreig y Corfflu Meddygol wedi cwblhau'r cyfnod hyfforddi. Cofnododd R. R. Williams hanes y criw hwn yn ei lyfr *Breuddwyd Cymro mewn Dillad Benthyg*, a dyma un o'i lythyrau o'r cyfnod:

Annwyl mam
... Pan dderbyniwch y llythyr hwn byddwn wedi gadael Sheffield ... I Salonica ... y byddwn yn mynd.

Anfonwyd milwyr i Salonica gyntaf 'nôl yn 1915, pan ymunodd Bwlgaria â'r rhyfel ar ochr yr Almaen ac Awstro-Hwngari; ym mis Hydref glaniodd milwyr o Brydain a Ffrainc yno (er bod Gwlad Groeg yn dal yn niwtral) i geisio bod yn gefn i'w cynghreiriaid yn Serbia. Erbyn diwedd 1915 roedd byddin Serbia wedi ei chwalu, ond cadwyd y fyddin ym Macedonia rhag i fyddin Bwlgaria wthio ymlaen yn erbyn Groeg.

Yno, felly, yr hwyliodd y rhan fwyaf o aelodau Cymreig y Corfflu Meddygol ar fwrdd llong yr *Essequibo*, a dau fardd ifanc, Dei Elis a Chynan, yn eu plith. 'Peidiwch â phryderu,' ysgrifennodd R. R. Williams at ei fam, 'cwmni o Gymry ydym a phregethwyr bron i gyd, ac ni allwn lai na bod yn hapus hefo'n gilydd.'

Ond chawson nhw mo'u cadw gyda'i gilydd. Cafodd Cynan ei anfon at yr 86th Field Ambulance gydag ychydig o'i gyd-Gymry, ac yno roedden nhw mewn tipyn o leiafrif gan fod y milwyr eraill bron i gyd o lannau afon Tyne. Ac yn waeth na hynny, roedd y milwyr eraill yn reit amheus o'r Cymry oherwydd eu tueddiadau heddychol, ac yn tynnu arnyn nhw o hyd, fel y cofnododd Cynan yn ei ragair i lyfr R. R. Williams, flynyddoedd yn ddiweddarach:

Daeth un o'r cogyddion tew heibio i babell y Cymry ... Dechreuodd rafio a bygwth y tu allan i'n pabell yr ymladdai ef unrhyw chwe 'bloody Cymro' ar unwaith ... Dyma'r cogydd, wedi ymgynddeiriogi gan ein tawedogrwydd, yn dechrau cicio hoelion y babell allan o'r ddaear a'i thynnu i lawr am ein pennau. 'O damo!' ebe fy nghyfaill i ... a ... gwaeddodd ar y cogydd tew yn Saesneg 'Hai! Does dim eisiau chwe Cymro i setlo dy broblem di. Mi fydda' i allan fy hun mewn munud, aros

106

imi gael fy 'sgidiau.' Dyma filwyr Tyneside yn ymdywallt o'r holl bebyll eraill ... Tan leuad llawn Macedonia fe ffurfiwyd rhyw fath o Gylch Bocsio. ... Ysgafn yr edrychai ein bachgen main, pengoch ni gyferbyn â'r cogydd tew, rheglyd; a phan ddechreuodd y rownd, petai un o ergydion trymion y cogydd wedi disgyn ar y Cymro bach, ni fuasai ond 'cais lle bu'; ond yr oedd ef wedi cyflym-stepio i'r dde neu'r chwith bob gafael, a'r ymosodwr o ganlyniad yn afradu nerth ei freichiau cyhyrog ar yr awyr yn gwbl ofer. ... ac erbyn y bedwaredd yr oedd wedi chwythu ei blwc fel y gallodd I... ddawnsio i mewn ac ag upper-cut tan glicied ei ên ei fwrw allan ar wastad ei gefn.

'I... bach,' meddwn i, 'nid yng Nholeg Trefeca y dysgaist ti focsio fel yna.'

'Nage, ond cyn imi ddechrau pregethu wyt ti'n gweld, yr oeddwn i'n sparring partner i Freddie Welsh!'

Freddie Welsh, wrth gwrs, oedd pencampwr pwysau ysgafn y byd ar yr adeg honno!

• • •

Er mai ffrynt cymharol dawel oedd Macedonia, roedd 600,000 o filwyr Prydain a Ffrainc yn gwasanaethu yno. Cyfeiriai'r Almaenwyr yn gellweirus at y lle fel eu gwersyll carcharorion rhyfel mwyaf llwyddiannus; hynny yw, roedd 600,000 o filwyr i bob pwrpas allan o'r rhyfel a hynny heb i'r Almaenwyr hyd yn oed gael y drafferth o'u curo nhw a'u carcharu nhw yn y lle cyntaf!

Roedd prif gadfridogion Prydain yn gryf o'r farn mai yn Ffrainc yr enillid y rhyfel ond, serch hynny, roedd sawl ffrynt arall yn y newyddion yn 1916, ac ym Mesopotamia ac yn yr Aifft yr oedd y ddau bwysicaf.

Anfonwyd milwyr i Mesopotamia, neu Irac fel y'i hadwaenir heddiw, er mwyn amddiffyn buddiannau'r cwmnïau olew Prydeinig a oedd yno. Gwthiwyd ymlaen tuag at Baghdad, ond gwrthymosododd y Tyrciaid, ac ar ôl gwarchae hir cymerwyd llawer o ddynion yn garcharorion ganddyn nhw yn Kut-el-Amara.

Yn y cyfamser, amddiffyn camlas Suez oedd y nod yn yr Aifft, wedi i'r Tyrciaid wneud cyrch aflwyddiannus ar draws anialwch Sinai o'u tiroedd ym Mhalesteina yn 1915. Gwelwyd mai'r ffordd orau o amddiffyn y gamlas oedd drwy wthio'r Tyrciaid yn ôl ar draws anialwch Sinai, ond haws dweud na gwneud. Roedd martsio'r fyddin ar strydoedd Cairo yn ddigon hawdd, ond allan yn yr anialwch roedd hi'n stori arall. Roedd Johnny Williams o Langefni allan yn yr Aifft, ac nid ef oedd yr unig Gymro o bell ffordd, fel yr eglura mewn llythyr at ei chwaer, Lella:

Yr wyf wedi cyfarfod ag amryw o fechgyn Cymru, rhai ohonynt yn gysylltiedig a'r RE sydd yn rhoddi llinell ffordd haearn i lawr i Jerusalem; yn eu plith yr oedd Hugh Parry, Rose Cottage, Rhostrehwfa. Dywedodd fod gyda hwynt un o ardal Malldraeth, a phrysurais i'w weled ac er fy syndod John Williams ydoedd. Cawsom sgwrs ddifyr am yspaid. Edrycha'n dda.

Yr RE oedd y Royal Engineers, ond doedden nhw ddim yn gallu ymorol am holl anghenion cludiant y fyddin.

Un o'r ffyrdd gorau o symud pethau ar draws yr anialwch oedd ar gefn camelod. Prynodd byddin Prydain felly ddegau o filoedd ohonyn nhw, a sefydlu Camel Corps. Roedd John Williams, hogyn arall o Langefni, yn un o'r rhai a wirfoddolodd ar ei gyfer:

[Fe] ofynwyd am ddeugain o'r dynion i ymuno a'r Camel Corps. Dewiswyd fi yn un i fynd, ac fe symudwyd ni i le heb fod ymhell o Cairo. Yno y buom ni'n cyfaddasu ein hunain i'r gwaith newydd. Fe gawsom hwyl dda ar y

camelod ac yn fuan yr oeddem yn medru rheoli'r camel yn iawn.

Ac roedd angen eu rheoli hefyd, yn ôl Sam Johnson o Gynwyl Elfed, a oedd allan yn yr Aifft gyda'r Ffiwsilwyr Cymreig:

Mae yn ddrwg genyf ddweyd fod Ben, mab Dai Ffoshanna, yn yr hospital yn rhwle yma. Nid ydwyf yn gwybod pa ble fy hunan. Nid ydyw ef wedi gael clwyfo ond mae e wedi cael cnouad cas, gyda un o['r] camelod sydd yn cario dwr y ni, ar ei fraich e. Mae rhai o honynt yn gas iawn; mae danedd nhwy fel danedd badd [baedd].

Ond, er gwaethaf rhyw dreialon felly, erbyn diwedd y flwyddyn roedd yr Aifft wedi ei hadfeddiannu bron yn llwyr, a'r Tyrciaid yn cilio.

• • •

'Nôl yng Nghymru roedd 'na reswm arall dros ddathlu, a golygyddion y wasg Gymreig ar ben eu digon. Dyma olygydd *Y Celt a'r Cymro Llundain* ar 16 Rhagfyr 1916:

Cymro yn Brif Weinidog Prydain Fawr! Dyna ddigwyddiad pennaf yr wythnos, ac mae ein cenedl fel un gwr yn llongyfarch Mr. Lloyd George ar ei safle newydd.

Dros y blynyddoedd roedd Lloyd George wedi profi ei hun fel Canghellor, fel Gweinidog Arfau Rhyfel ac fel Gweinidog Rhyfel – ac erbyn hyn ef, yn anad neb yn y Llywodraeth, oedd yn symboleiddio dyhead Prydain am fuddugoliaeth. Meddai'r golygydd eto:

Yr oedd yr hen weinyddiaeth wedi myned i hepian, ac roedd y wlad yn dyheu am ryw gyfnewidiad ... Mae'n weddus i ni fel Cymry heddyw ymfalchio yn y ffaith fod

Cymro iaithgarol – un o gynnyrch gwerin Cymru – wedi ei ddyrchafu gan uchelwyr Lloegr i fod yn ben ar eu llywodraeth. Ganrifoedd yn ol ymhyfrydai'r Sais yn y gwaith o oresgyn a gorthrymu ein gwlad fechan. Heddyw wele un o ddeiliaid y wlad oresgynedig honno yn troi i fod yn waredwr i'r Sais, ac i achub ei wlad rhag goresgyniad gelyn estronol. Mor rhyfedd ydyw troion yr hen fyd yma!

Daethai sawl tro ar fyd erbyn diwedd 1916. Mae Nadolig cyntaf y rhyfel yn enwog am yr ysbryd cymodlon a ddaeth â'r ddwy ochr at ei gilydd yng nghanol tir neb, ond roedd unrhyw frawdgarwch felly wedi hen ddiflannu erbyn diwrnod Nadolig 1916. Meddai W. T. Williams, mewn llythyr at ei rieni ar 30 Rhagfyr y flwyddyn honno:

Am wyth o'r gloch y bore fe ddarfu i bob gwn a magnel anfon un shell drosodd i ddymuno Nadolig llawen i 'Will' y German. Meddyliwch am yr holl ynnau mawr sydd gennym ar y front yn saethu ar unwaith, miloedd ohonynt, a phob un yn anfon Christmas Card i'r Germans cyn brecwast ...

Darfu i ni anfon un arall o bob gwn tua pump o'r gloch – Mince pies oedd y rhain – ond eu bod yn rhai pur galed – heb lawer o lard ynddynt, ac yn ôl yr hyn a glywais nid oedd 'Will' yn rhyw hoff ohonynt. Mae'n ymddangos ei fod wedi colli archwaeth at bethau o'r fath erbyn hyn, ac y mae yn gwaeddi am heddwch, ond nid ydym wedi darfod gydag ef eto. Fe gaiff amser pur arw o hyn i ddiwedd yr haf nesaf, ac y mae'n haeddu uffern saithboeth am ddechreu galanas mor erchyll a hyn.

Does dim byd mor anarferol â hynny yn agwedd William Thomas Williams. Mewn ffilm bropaganda gwelir offeiriad Ffrengig yn bendithio'r tân-belennau cyn eu tanio at y gelyn.

Roedd y byd a'i ben i lawr a gwerthoedd pawb wedi eu gwyrdroi. Pan fu Lewis Valentine yn nhref Albert toc cyn y Nadolig y flwyddyn honno, gwelodd symbol amlwg o hynny yn y difrod a wnaed gan ynnau'r gelyn i'r cerflun enwog ar ben y tŵr. Fel hyn yr ysgrifennodd amdano yn ei gyfrol *Dyddiadur Milwr*:

Yr oedd yr eglwys fawr yn sefyll, ond yr oedd y ddelw fawr o Fair Forwyn, a oedd ar ben y tŵr ... yn cyflwyno ei baban i'r nef, bellach wedi ei bwrw ar lorwedd nes ei bod yn debyg i fam yn bwrw ei phlentyn i'r llawr. Arswydus o ddameg!

Ond nid oedd pawb wedi anghofio am efengyl tangnefedd. Roedd yn arfer gan lawer o gapeli yng Nghymru i ysgrifennu at eu haelodau yn y ffosydd i ddymuno'n dda iddyn nhw dros y Nadolig, ac anfonwyd llythyr i'r perwyl hwn gan swyddogion Capel Jeriwsalem ym Mlaenau Ffestiniog.

Roedd David Joseph Jones a John Jones, a oedd yn aelodau o'r capel hwnnw, yn dod allan o'r lein pan welson nhw ffrind iddyn nhw o'r un ardal, sef Abraham Jones, ymysg y rheini oedd yn mynd i gymryd eu lle. Dyma'r hanes gan Geraint Vaughan Jones o'r Blaenau:

'Fasat ti'n licio cael golwg ar hwn, Abraham?' gofynnodd Dei Joseph iddo. 'Llythyr ges i oddi wrth weinidog Jeriw.'

Fe wthiodd Abraham Jones y llythyr i boced frest ei diwnig a ffarwelio efo'i ddau ffrind. Ond chafodd e ddim cyfle i'w ddarllen, mae'n debyg. Y diwrnod hwnnw fe'i saethwyd yn farw ac fe basiodd y fwled yn syth drwy'r amlen ym mhoced ei frest! Mae'r plygiadau yn y ddalen a marc yr un fwled anffodus honno i'w gweld yn glir yn y llythyr.

Roedd gan Abraham Jones chwech o blant pan laddwyd ef, a Nadolig digalon iawn oedd Nadolig 1916 ar ei aelwyd ef, ac ar lawer aelwyd arall yng Nghymru.

Pennod 4

'Yr ydym at ein cluniau mewn baw'
1917

Erbyn dechrau 1917, roedd delfrydiaeth blynyddoedd cynnar y rhyfel wedi cilio tipyn. Nid rhyfel a fyddai 'drosodd erbyn y Nadolig' oedd hwn bellach, a hyd yn oed ar ôl ymgyrch fawr y Somme a'r holl golledion a gafwyd yno, doedd buddugoliaeth yn ddim nes. Roedd hynny yn gryn ergyd seicolegol, a gellir synhwyro rhyw rwystredigaeth yn llythyrau'r milwyr nad oedden nhw'n cael gwybod beth oedd yn digwydd. Meddai Sam Johnson mewn llythyr at ei gariad, Mary Howells, ar 4 Mai 1917:

Ychydig iawn o hanes yr ydym ni yn gael yma, ag felly dyna rheswm wyf am y chi ddanfon papur y fi ambell waith.

Ac meddai Abram Jones:

Anfon County Times, London Opinion neu'r Passing Show i mi weithiau neu ryw Weekly Paper gan mai prin iawn yw y newyddion yma a'r sibrydion a glywir yn gelwyddau yn aml.

Roedd cyhoeddwyr *Y Celt a'r Cymro Llundain* yn gwneud eu gorau i helpu:

Gan fod cynnifer o'n darllenwyr wedi ymuno a'r Fyddin, ac heb y cyfleusterau arferol i sicrhau'r CELT yn wythnosol mae'r perchenogion wedi trefnu i ddanfon y newyddiadur yn rhad ac am ddim i bob milwr o Gymro sydd yn gwasanaethu ei wlad.

113

*Danfoner yr enwau a'r cyfeiriad i'r Swyddfa yn brydlon,
a chaiff y papur ei ddanfon yn rheolaidd. Cyfeirier pob
gohebiaeth i'r 'CELT' OFFICE, 302, Gray's Inn Road,
London.*

Yn ei lythyrau at ei rieni yn Llanllechid, mae W. T.
Williams yn diolch yn aml am gael papur newydd:

*Byddaf yn derbyn yr Herald bob wythnos ac yn falch
ohoni. Bydd derbyn newydd cystal â phe bawn yn derbyn
parsel.*
*... Gair bach i ddio[l]ch o galon i chwi am y llythyr, y
papur newydd a'r cadach poced. Nis gallaf ddywedd
wrthych pa mor falch oeddwn o'u cael. Daethant i'm llaw
pan oeddwn ar 'ddiwti' yn y dref adfeiliedig hon, ac yr
oeddwn yn falch iawn o gael cipdrem ar 'y Genedl'
unwaith yn rhagor.*

Rhan o'r pleser iddo oedd cael rhywbeth yn ei iaith ei
hun:

*Choeliwch chwi byth cymmaint o hyfrydwch ydyw
derbyn rhywbeth yn Gymraeg, a byddaf yn edrych ymlaen
am wledd flasus pan ddaw y Genedl neu yr Herald i'm
llaw. Mae rhywun yn syrffedu a'r Saeson a Seisneg, ac yr
wyf yn credu weithiau y buasai rhywun yn llawer mwy
calonnog pe yng nghanol Cymru. Rhyw dacla oerion fel
llyfantod ydyw y Saeson yma, ac y mae y Cymro fel
pysgodyn allan o'r dwr yn eu canol. Byddaf yn cyfarfod
ambell i Gymro ar fy mhererindod weithiau, a chyn pen
chydig funydau byddwn mor gymdeithasgar ac mor
gyfeillgar â dau frawd, er, efallai, ei fod ef yn dyfod o un
o gymmoedd Sir Gaerfyrddin, a minnau yn fachgen o'r
Eryri, eto mae yr ysbryd yr un. Mae'n debyg nad ydych
chwi yn brofiadol o'r teimlad hapus a geir pan
gyfarfyddwch â Chymro mewn estron dir, ar ol treulio
blwyddyn gyda heppil yr iaith fain.*

Roedd unrhyw gysylltiad ag adref yn cael ei werthfawrogi dan yr amgylchiadau. Pan na ddeuai llythyrau yn rheolaidd roedd hynny'n peri cryn ofid i'r milwyr. Nid yw gohebiaeth Mary Howells at Sam Johnson wedi goroesi, ond ymddengys o'i lythyrau ef ati nad oedd hi'n ohebwraig mor gydwybodol ag y gallai fod!

Nid ydwyf wedi dderbyn gair oddi wrythyc[h] oddi ar wyf yma. Pa beth sydd yn bod Mary anwyl? Ar oes rhwbeth rhyfedd wedi digwydd y chwi? Yr ydych yn hala i y trwbly mwy lawer obeity y chi nag wyf yn gofidio obeity yr Army yma.

Mewn llythyr yn Archifdy Môn sydd wedi'i arwyddo gan 'Griffith Cae Bothan' mae'r awdur yn cwyno am brinder llythyrau:

Gobeithiaf eich bod ar dir y rhai byw, hyny yw, byw i adgofion am yr hen gyfeillion sydd heno wedi ymarfogi i Ryfel ac yn disgwyl bob munud am yr alwad ... Rwyf wedi anfon i rai yna ond dim attebion. Pawb yn ein cyfrif fel yr Alltudion yn byw allan o'r byd, ar yn wir.

> *Mae gair i un sy'n mhell o'i wlâd*
> *Yn Peri iddo fawr fwynhâd,*
> *Felly rhoddwch linell fwyn*
> *Grea yn y galon swyn.*

Er bod W. T. Williams fel arfer mewn hwyliau da wrth ysgrifennu adref, roedd y teimlad o fyw'n alltud yn mynd dan ei groen yntau hefyd o bryd i'w gilydd:

Cefais lythyr oddiwrth J.R heddyw, ac yr oedd yntau yn gweld bai ar Harri Pari am beidio gyru gair iddo er pan yn y wlad hon. A ydyw pobl yn meddwl mai ar ein 'holidays' yr ydym yn y wlad hon? Mae'n debyg eu bod yn dychmygu ein gweled mewn tai hardd gyda digon o gadeiriau a byrddau, ac nad oes ond eisiau eistedd i lawr ac ysgrifennu cais attynt hwy sydd mor brysur. Dywedwch wrthynt fod yma ryfel fawr yn myned ymlaen, a'n bod wrthi yn brwydro ddydd a nos. Pe buasent yn dod yma am un awr; ni fuasent yn siarad mor ffôl. Nid dod yma i ysgrifennu at fy nghyfeillion a wnes i, ond dod yma i ymladd drostynt. Eu dyledswydd hwy felly ydyw gwneud rhywbeth drosof fi. Gallaf ddyweud wrth bob un o'm cyfeillion.

> *'O llefara, addfwyn gyfaill,*
> *Mae dy eiriau fel y gwin.'*

• • •

Erbyn 1917, gyda rhestrau'r clwyfedigion a'r meirwon yn tyfu o wythnos i wythnos, roedd yn naturiol fod dynion yn dechrau cwestiynu'r drefn. Ac roedd hynny'n digwydd yn y gwersylloedd hyfforddi yn ogystal ag ar y llinell flaen.

Gŵr o Gorris oedd Hugh Pugh, ac mae 'na dinc eithaf gwrthryfelgar yn rhai o'i lythyrau adref:

Annwyl Deulu
... Slavery o le yw'r camp yma; roeddan i yn gorfod troi allan 'full pack' bore heddyw cyn saith o'r gloch y bore ac roedd yn rhaid i'r [cwbl] fod yn lan heb yr un spotyn arnynt. Onibai am yr holl lanhau sydd yma ni fuasai mor ddrwg. Pe buasai angau yn cipio yr hen capten yma i rhywle mi fuasai y boys yn gorfoleddu.

Cael ei orfodi i'r fyddin dan y Ddeddf Gonsgripsiwn a wnaeth Hugh Pugh, ond roedd rhai yn dal i wirfoddoli o hyd, fel Francis Buller Thomas, er enghraifft. I hogyn tlawd fel yntau a oedd wedi bod yn y wyrcws, roedd y fyddin yn ddeniadol dros ben, a dywedodd gelwydd am ei oedran hyd yn oed, er mwyn cael ei dderbyn. Yn ei gyfrol *O'r Wyrcws i Baradwys*, dywed:

Cefais wisg y brenin amdanaf a theimlo fy hun yn chap garw ... Yr oedd y bwyd yn dda iawn yn y fyddin o'i gymharu â'r hyn oeddwn i wedi fod yn gael yn ddiweddar ... Ond y diwrnod pwysig i edrych ymlaen ato yn y bywyd newydd yma oedd dydd Gwener – diwrnod tâl. O'r diwedd dyma'r diwrnod mawr yn dod a phawb ohonom yn gorfod martsio i'r lle i gael ein talu, ac yn cael ein gorchymyn yn bendant ein bod i saliwtio cyn ac ar ôl cael ein harian. Wedi hir ddisgwyl dyma alw ar 101611 Pte. Thomas, F., a bobol annwyl! Y fi oedd hwnnw. Estynnodd y Swyddog swllt a'i roi o fy mlaen ar y bwrdd, ac yn fy nychryn dyma fi yn gafael ynddo y munud hwnnw a cherdded i ffwrdd – heb saliwtio! Wel yn wir, mi feddyliais i fod y lle ar dân neu yn syrthio i lawr yn ôl fel yr oedd y Syrjiant Major yn gweiddi – mi allech ei glywed o yn Lerpwl! – 'Go back to the table you nincompoop.' ... [G]ofynnodd y Swyddog i mi beth oeddwn i fod i wneud am fy swllt. Atebais innau ar unwaith – 'Thank you Sir,' a ffwrdd â fi. Ac o mam annwyl! Mi gefais driniaeth gan y Syrjiant Major ar ôl hyn. Mi fûm i'n saliwtio pawb a phopeth am fisoedd er mwyn gwneud yn siwr.

• • •

Cyn gynted ag yr oedd milwyr newydd fel Hugh Pugh a Francis Buller Thomas yn cwblhau eu hyfforddiant, roedden nhw'n cael eu hanfon dramor, ac yn gorfod wynebu un o arfau mwyaf effeithiol y gelyn: yr U-boat neu long danfor. Meddai Hugh James mewn llythyr at ei rieni, Mr a Mrs William James, London Road, Bodedern, Môn:

Yr oeddwn ar fwrdd y llong ... pan gafodd ei thorpedio. Mi gollais bopeth oedd gennyf heblaw hynny oedd am danaf ond yr oedd yn llawer gwell cael bywyd na dim arall.

Ac meddai Hugh Davies:

Dyna y rhan ôl ohoni yn ymgodi i'r awyr tra y trwyn yn ymguddio oddi tan y tonnau. O! olygfa dorcalonnus ... ymhen ryw ddau funud nid oedd golwg o'r hen agerlong. 'Roedd ar y ffordd i orffwys ar wely graianog y culfor, byth i rwygo'r eigion mwyach.

A dyma Hugh James eto: 'Nid oes gennyf eisiau gweld y fath beth eto tra byddai byw.'

Ond nid llongau'r milwyr oedd eu hunig dargedau. Erbyn Ebrill 1917 roedd Prydain yn colli dros filiwn o dunelli ar y môr bob mis. Roedd un o bob pedair llong a oedd yn hwylio o borthladd Prydeinig yn cael ei suddo. Petai hynny'n parhau, roedd 'na berygl go-iawn y gallai Prydain golli'r rhyfel – drwy lwgu. Dyma sylw golygydd *Y Darian* ar 10 Ionawr 1918:

Perygl y Suddlongau Eto:
Collwyd yr wythnos ddiweddaf fwy o longau mawr nag a gollwyd unrhyw wythnos o'r blaen er's pedwar mis. Dywedwyd droeon o'r blaen yn yr ysgrifau hyn a dywedir eto, fod mwy o berygl i Brydain oddiwrth y submarines nag sydd oddi wrth holl Fyddinoedd Germani.

Ateb Lloyd George oedd cadw'r llongau gyda'i gilydd mewn *convoys*, a defnyddio llongau rhyfel i'w hamddiffyn. Er bod swyddogion y Llynges yn gyndyn o wneud hyn, mynnodd y Prif Weinidog gael ei ffordd, ac o fewn dim syrthiodd y colledion o 25% i 1%.

• • •

Ond roedd llongau tanfor yr Almaen yn targedu llongau niwtral yn ogystal â rhai Prydeinig, a dyna yn y pen draw ddaeth â'r Unol Daleithiau i mewn i'r rhyfel. Roedd eu Harlywydd, Woodrow Wilson, wedi gobeithio cadw allan o'r rhyfel a cheisio cymodi rhwng y ddwy ochr, ond ni allai anwybyddu'r fath her i hawl yr Unol Daleithiau i fasnachu'n rhydd.

Roedd Cymry America wedi bod yn gefnogol i'r henwlad ers dechrau'r rhyfel. Dyma lythyr gan D. J. Rowlands, a oedd yn byw yn Wisconsin, o 1915:

Rwyt yn gofyn beth ydym ni yn ei feddwl o'r Rhyfel ofnadwy yna, wel wir mae yn anodd gwbod beth i feddwl ohoni, ond toes gin neb yma ond y German ei hun, ddim amhyuath mai gorchfygu geith Germany ... Hefo'r Allies mae cydymdeimlad y wlad yma fwuaf o lawer, mae yma filoedd lawer yn cael ei hel yma at helpu pob gwlad. Mae y Drych wedi casglu miloedd o Ddollars ac yn dal i gasglu o hyd at helpu dioddefwyr yn Nghymru yn inig.

(A chyda'r arian hwn y cychwynnwyd y diwydiant gweu sanau i'r milwyr yn ardaloedd y chwareli yng ngogledd Cymru.)

Newydd da oedd penderfyniad yr Unol Daleithiau i ymuno yn y rhyfel – ond byddin fach oedd ganddyn nhw, a byddai'n fisoedd lawer cyn y gallen nhw roi dynion yn eu cannoedd o filoedd ar faes y gad.

Roedd eu cymdogion o Ganada yno'n barod, wrth gwrs, yn ateb galwad yr Ymerodraeth Brydeinig, ac roedd ambell Ganadiad Cymraeg yn eu plith, fel Hughie Griffith. Cyhoeddwyd llythyr a ysgrifennwyd ganddo at ei rieni, Mr a Mrs Humphrey Griffith, yn Y Drych ar 20 Medi 1917:

Mae yn ddiameu i chwi ddarllen yn y papyrau am fyddin Canada yn gwthio y Germaniaid yn ôl. A diwrnod pen fy mlwydd oedd hi, ac nid aiff yn annghof byth genyf. Y

Prussian Guards oedd yn ein gwynebu ni, ond nid ydynt hwy yn cyfrif llawer yn erbyn y Canadiaid.

Ym mis Ebrill, roedd Hughie'n rhan o'r cyrch llwyddiannus ar y bryn a ddaeth yn enwog fel Vimy Ridge, ac mae yno gofeb farmor heddiw yn coffáu buddugoliaeth Canada. Dyma un o gampau mawr y genedl ifanc honno; yn wir, hawliodd rhai mai ar Vimy Ridge y cadarnhawyd hunaniaeth Canada fel cenedl. Dyma beth ddywed Hughie o'i brofiad yntau:

Yr oll y mae ein bechgyn ni yn chwilio am dano yw creiriau i'w hadgoffa am y brwydro. Ond hon oedd yr ysgarmes waethaf y mae ein cwmni ni wedi bod drwyddi. Rhoisom dipyn o syndod i'r Germaniaid, ac yr oeddym yn eu ffosydd cyn iddynt wybod, a'r cwbl allent wneyd oedd taflu eu dwylaw i fyny a gwaeddi 'Mercy, Kamerad.' ... Cefais fy ngwenwyno ychydig gyda'r nwy Germanaidd, ond nid yn ddrwg iawn; ar wahan i hyny yr wyf yn berffaith iach.

Nid y nhw oedd yr unig rai o'r Ymerodraeth i ymladd a marw yn Ffrainc, fel y sylwodd Hedd Wyn mewn llythyr ar 25 Mehefin 1917, yn fuan wedi iddo lanio yno:

Mae yma Indiaid lawer hefyd, eu gwalltiau fel rhawn, a thywyllwch eu crwyn yn felynddu, a'u dannedd fel gwiail marmor, a dylanwad eu duwiau dieithr ar bob ysgogiad o'u heiddo.

Roedd yn rhyfel byd go-iawn, gyda chant a mwy o genhedloedd yn ymladd erbyn y diwedd, a'r brwydro wedi ymledu i sawl cyfandir. Bu Cymry yn ymladd yn nwyrain Affrica, India, Mesopotamia, Salonica a'r Eidal, yn ogystal â'r gwledydd a grybwyllwyd eisoes. A draw yn y Dwyrain Canol, roedd 'na Adran gyfan o 18,000 o Gymry – y 53rd Welsh Division – yn ymladd gyda byddin Prydain.

• • •

Erbyn dechrau 1917 roedd y fyddin honno wedi croesi anialwch Sinai a chyrraedd Palesteina, ond digon siomedig oedd Gwlad yr Addewid yng ngolwg llawer o'r milwyr Cymreig. Meddai Willie Jones mewn llythyr at ei rieni, Mr a Mrs Charles Jones, Hyfrydle, Llangefni:

Gelwir y wlad yma weithiau yn 'wlad yn llifeirio o laeth a mêl' ond druan ohonom ni mae y 'luxuries' yna wedi diflannu ers hir amser a bully beef a biscuits wedi cymeryd eu lle. Yr unig beth sydd yn aros yma yw rhai o'r locustiaid y darfu i Ioan Fedyddiwr fethu fwyta.

Ond daeth y milwyr Cymreig at dir ffrwythlonach maes o law, a rhyfeddu yn eu tro at y cnydau anghyfarwydd. Dyma oedd ymateb Abram Jones o Lanbryn-mair:

Ceir yma goed oranges lemon dates ffigs, afalau apricots, greengages a chnau o bob desgrifiad ... gyda'r cloddiau goreu ddychmygwyd o'u cylch, sef cloddiau 'cactus plant' tua 7 troedfedd o uchder. Gwell fuasai gennyf fynd trwy ffence barbed wire na thrwy hon. Does yna fawr o chance i leidr ffrwythau yma.

Ond roedd milwyr Cymru ar fin wynebu prawf caletach o lawer na chactws a weiren bigog. Meddai Abram Jones eto:

Cilio o'n blaenau roedd y gelyn o hyd tan yn ddiweddar ond cilio i amddiffynfa gadarn o flaen un o'i brif drefi ... oedd.

Roedd y Tyrciaid wedi penderfynu gwneud safiad o flaen Gaza. Wrth gwrs, doedd y milwyr ddim i fod i ddatgelu ble roedden nhw yn eu llythyrau adref, rhag ofn y byddai'r wybodaeth o werth i'r gelyn, ond ym

Mhalesteina roedd bechgyn a oedd wedi eu magu yn ysgolion Sul Cymru yn ei chael hi'n ddigon hawdd twyllo'r sensor. Yn eu plith roedd Sam Johnson:

Yr ydwyf yn ysgrifenu yr llythyr hyn y chi yn golwg yr mynydd lle cariodd Samson yr yetau yr ddinas y ben ef. Edrychwch yn yr unfed pennod ar bumtheg o Barnwr, yn yr hen Destament, ag fe cewch yr enw yr lle yr wyf yn nawr.

A phan edrychodd cariad Sam, Mary Howells, yn ei Beibl, byddai wedi gweld yr adnod hon: 'Yna Samson a aeth i Gasah'. Penderfynodd yr awdurdodau milwrol mai Gaza fyddai'r nod i'r catrodau Cymreig hefyd. Mae Tom Nefyn Williams yn *Yr Ymchwil* yn disgrifio'r tensiwn y noson cyn yr ymosodiad:

Sylweddolai pobun ei fod wyneb-yn-wyneb ag angau, oherwydd yr oeddym wedi ein pennu i ymosod yn ddirybudd a chyn y wawr ar we o amddiffynfeydd y Twrc a'r Almaenwr. A mawr oedd y straen ar deimlad a meddwl, yn arbennig felly ar eiddo y rhai na fuasent o'r blaen yn blasu o ruthr a gofwy brwydr fawr.

Toc, a hithau oddeutu un ar ddeg o'r gloch y nos, dyma lais tenor yn canu'r barrau cyntaf o'r dôn Diadem. 'Cyduned y nefolaidd gôr', y rheini oedd y geiriau. Ar drawiad, yn gymwys fel pe gwasgasai rhywun glicied reiffl, ergydiodd ein hyder a'n pryder i linellau olaf y pennill. Megis cwch rhwyfau yn mynd o don i don, llithrasom ninnau yn ddiymdrech o emyn i emyn: Diadem, yna Cwm Rhondda; Urbs Area, yna Andalusia; Dwyfor, yna Tôn y Botel; Gwylfa, yna Crug-y-bar; Aberystwyth, yna Rhos-y-medre.

Cymanfa ganu bell-bell o bob addoldy, ac ar drothwy'r cyfyngder gwaethaf! ... nid oedd gennym daflenni y noson honno o Fawrth 1917 ... eithr dibynnem yn gyfangwbl ar lyfr emynau'r cof.

Drannoeth y gymanfa answyddogol honno, roedd Tom
Nefyn ac Abram Jones yn ei chanol hi. Meddai Abram:

*Roeddem ni ar y blaen yng nghanol bwledi a shrapnel, yn
ofni cael ein hyrddio bob munyd i dragwyddoldeb. Buom
tan dân o ddeuddeg Dydd Llun ola ym Mawrth tan ganol
nos Fawrth.*

A dyma Tom Nefyn Williams yn manylu mwy:

*Yn yr awyr, ac yn ein hymyl, yr oedd tân-belennau'n
sgrechian, ac yn araf ymchwyddai ratt-t-t-t y gynnau
Maxim ...*
     *Nid hir y bu'r erwau meithion digysgod cyn troi'n
fynwent i gannoedd a channoedd o wŷr ieuanc –
ymlynnodd cnawd un a faluriwyd fel tameidiau o glai
coch wrth fy nghôt am rai dyddiau ... Ar ôl byrion
ruthriadau ymlaen, a saethu oddi ar lawr rhwng pob
gwib, daeth y munud iasol. Yr oeddym ar fedr ymosod â'n
bidogau. Th... thh... pyddd! Aethai bwled i'r pridd rywle
rhwng plygiad fy mraich chwith a'm pen. Ai dianaf? Ai
dolurus? Am fod y ffiniau normal rhwng bywyd ac angau
a rhwng perygl a diogelwch wedi eu chwalu, nid dyma'r
lle na'r adeg i ymholi; a'r eiliad nesaf, i ffwrdd â phobun
abl i'w godi ei hun, â'n bidogau'n flaenllym ac yn noeth.
Th... thhh... pyddd! Trawsai'r ail fwled fy reiffl, gan
dyllio'r pren a orchuddiai'r baril. Erbyn hyn yr oedd yr
ymladd bron â chyrraedd ei bwynt ffyrnicaf, a'i shrapnel
a'i saethau llai yn hisian ac ubain, fel ped aethai'r byd yn
sioe bwystfilod gwylltion y Diafol, ac yntau (er mwyn
elw a hwyl) wedi bwrw'r gorila a'r panther du a'r fwltur
a'r cobra i'r un gell. Ond ymlaen yr elem. Th... thhh...
Pyddd! Lloriwyd fi gan y trydydd bwled, yn debyg i ddyn
wedi ei daro gan ordd anweledig.*

Er na fedrai Tom Nefyn wneud rhagor y diwrnod hwnnw,
llwyddodd y milwyr Cymreig i gipio ffosydd y Tyrciaid

ar y bryn uwchben Gaza, fel y tystiodd Abram Jones:

Rhuthrasom ar y gelyn yn eu ffosydd gyda'r nos Nos Lun a gorfu iddo newid ei lodging y noson hono ond talasom ni yn bur ddrud am hynny fel y gweli yn y papurau mae'n siwr erbyn hyn.

Yn Gaza roedd lluoedd y Tyrciaid yn paratoi i gilio cyn yr ymosodiad. Drylliwyd eu hoffer radio rhag iddo ddisgyn i ddwylo'r Prydeinwyr. Yna daeth tro ar fyd. Roedd y cadfridogion Prydeinig mor bell o faes y gad fel eu bod nhw'n meddwl bod yr ymosodiad wedi methu. Er bod Gaza o fewn eu gafael, galwyd y milwyr Prydeinig yn ôl – roedd eu holl aberth wedi bod yn ofer. Dyma eiriau Tom Nefyn Williams am ei gydfilwyr o Gymru a adawyd yn farw ar faes y gad yn Gaza:

Un ar ddeg o'r gloch y nos, mwyn ganent emynau eu rhieni; ond am un ar ddeg y bore wedyn gorweddent yng ngwres yr haul, a heb allu i hel ymaith y gwybed swrth a chanibal.

• • •

Draw yn Ffrainc, yng ngwanwyn 1917 cafwyd tro annisgwyl ar fyd pan enillwyd mwy o dir yno nag a wnaed ers dechrau'r rhyfel, ond nid oherwydd buddugoliaeth mewn brwydr. Dyma'r hanes gan olygydd *Y Genedl Gymreig*:

Gwelwyd nad oedd brwydrau'r Somme y flwyddyn cynt wedi bod yn ddi-effaith, canys dechraeodd y gelyn encilio yn Ffrainc am rai milltiroedd, gan adael trefi fel Bapaume a Peronne yn ein dwylaw ni, ac ymsefydlu ymhellach draw ar yr hyn a elwir yn 'Llinell Hindenburg'.

Mewn gwirionedd, roedd yr Almaenwyr wedi sylweddoli y byddai sythu eu llinell yn ei gwneud hi'n haws i'w hamddiffyn, gan ryddhau 15 adran gyfan o'u byddin at ddyletswyddau eraill. Buan y gwelwyd nad oedd unrhyw beth wedi newid go-iawn. Mewn llythyr at ei rieni, dywed W. T. Williams:

Rhywbeth yn debig ydyw hi yma o hyd – lladd a llarpio o foreu hyd nos. Disgynnodd tua cant o dânbelenau yma neithiwr, ond yr oeddwn i yn cysgu yn hollol dawel a dibryder yng nghrombil yr hen ddaear yma. Byddaf yn chwerthin llawer ynof fy hunan weithiau wrth feddwl ein bod yn byw fel tyrchod daear neu lwynogod yr Arryg.

Un o fynyddoedd y Carneddau, uwchben cartref W. T. Williams yn Nyffryn Ogwen, yw'r Aryg. Erbyn gwanwyn 1917 roedd yntau wedi bod allan yn Ffrainc gyda'r magnelwyr (artillery) ers dros chwe mis. Ceisiodd esbonio natur ei waith wrth ei rieni:

Yr wyf ar fy nhraed drwy y nos gyda'r swyddog, ac os y byddwn yn saethu, myfi [sydd] raid gweithio popeth allan yn barod, ac yna rhoddi y manylion i'r dynion ar y gynnau. Chwi welwch felly mae rhyw fath o îs swyddog ydwyf.

Nid ydym yn byw yn y dref fawr lle mae ein gynnau, ond awn yno am bedair awr ar hugain, ac yna deuwn yn ol i le tawelach. Buasai yn amhosibl byw yn y fath le.

Byddwn fel dynion yn myned at eu gwaith i'r chwarel, ond ein bod ni yn cychwyn hanner-awr wedi pump yn yr hwyr, ac yn dod yn ol hanner awr wedi pump y noson ddilynol.

Er bod W. T. Williams yn aml yn pwysleisio normalrwydd ei waith yn ei lythyrau adref, gan ei gyffelybu i weithio sifft yn y chwarel, wrth gwrs, doedd 'na ddim byd normal am yr hyn roedd yn ei wneud; normalrwydd hollol wyrdroëdig oedd hyn! Sylwer ar y gymhariaeth nesaf yma, mewn llythyr a ysgrifennodd ar 10 Mehefin 1917:

Mae y shell yr ydym ni yn ei thanio yn pwyso tri chan pwys, ac y mae cyn daled a phlentyn chwech oed, ac yn naw neu ddeg modfedd o drwch.

'Cyn daled a phlentyn chwech oed'! Â rhagddo i ddweud beth oedd y 'plant' yma'n gallu ei wneud:

Yr oedd tua pum cant ohonynt o dan tair coeden fawr yn barod erbyn y frwydr, ond disgynodd shell yn eu canol. A chwythwyd y cwbl i fyny. Ni chlywais y fath ffrwydrad a daeargryn yn fy nydd. Am tua pum munud yr oedd yn bwrw haearn a shells, ond yn ffodus iawn yr oedd pawb o dan gysgod. Chwythwyd y tair coeden enfawr o'u gwraidd a disgynasant tua cant llath o'r lle.

Er gwaethaf damweiniau fel hyn, byd cymharol freintiedig oedd byd dynion y gynnau mawr:

Mae ein batteri ni wedi bod yn lwcus iawn hyd y hyn. Mae Duw fel pe yn taenu ei adenydd trugarog i'n hamddiffyn.

Roedd y milwyr traed yn y llinell flaen, ar y llaw arall, yn cael eu targedu'n fwy cyson o lawer. Yn *Y Drych* ar 30 Awst 1917, adroddodd Arthur Morris o Lanuwchllyn am ei brofiad dan dân y gelyn:

Dechreuodd y pelenau sydyn – y whizz-bangs – ddyfod trosodd. Gallwch glywed eu su am eiliad, ac yna daw y 'bang'. Disgynent ar fin y ffos, yn y ffos, a thu hwnt i'r ffos, a ninau yn crwcwd am ein bywydau bach yn ngwaelod y ffos. Mor gynted ag y clywem ffrwydriad un belen clywem su y belen nesaf yn dyfod. Hefyd dechreuodd y shrapnel shells ffrwydro uwch ein penau; clywn rhywbeth yn chwyrnu heibio fy nghlust, a dyna lwmp o shrapnel yn claddu ei hun yn mur y ffos. Rhoddais fy mys arno; yr oedd yn boeth i'w ymhel. Lle garw oedd yno. Y mae yn anhawdd ei ddesgrifio, ond gallaf yn onest ddefnyddio yr hen frawddeg – 'Yr oedd yn beryg bywyd yno.'

Roedd William Lewis o Bontrhythallt wedi rhoi disgrifiad yr un mor fyw o'i fedydd tân yntau yn Gallipoli 'nôl yn Awst 1915:

Cofiaf y diwrnod cyntaf ein bod yn mynd drwy ryw goedydd a'r pelenau yn byrstio, a'r sharpnels. Gwelwn fy nghymrodyr yn syrthio ymhob man, y creaduriaid bach. Am tua hanner awr bu raid i ni gysgodi tu ol i goeden neu lwyn. Clwyn ein capten yn gwaeddi, 'Dowch ymlaen hogia, byddwch yn Gymry.' Roedd ef ar y blaen, ac ymaith yr aethom drwy gawodydd o fwledi. Gallech eu clywed yn chwyrnellu fel yr oeddym yn myned gam rol cam, ac yn tarro yn erbyn y coed. Ond nid oeddwn ofn y bwledi. Ond dyma y Jack Johnson yn dyfod, ac yr oeddym yn fflat ar y llawr, a chlywech hwy yn disgyn tu ol ac yna yn byrstio. Y mae y pelennau hyn yn ofnadwy, y maent yn lladd ein hogiau i gyd. Mae twll yn y ddaiar ar eu holau y gallech gladdu eich hunan ynddo.

Pencampwr paffio pwysau trwm o'r cyfnod oedd 'Jack Johnson' ond, er cystal ymladdwr ydoedd, ergyd farwol oedd gan y siel a lysenwyd ar ei ôl. Achoswyd tri chwarter holl glwyfau'r rhyfel gan sieliau fel hyn. Roedd ysgyrion y sieliau yn tueddu i gario baw i'r clwyf a hwnnw'n troi'n septig wedyn. Dyma ran o lythyr y caplan D. Morris Jones ar 27 Chwefror 1917 at fam Hugh Edwards wedi i Hugh gael ei anafu yn y modd yma:

Anwyl Mrs. Edwards
Drwg iawn genyf orfod ysgrifenu attoch ynghylch marwolaeth eich Mab yn Ffrainc. ... Cafodd ei glwyfo yn bur dost, a bu farw o'i glwyfau ymhen ychydig oriau ar ol iddo gael ei anafu. Dioddefodd yn fawr am ychydig, ond

yn hollol dawel a dirwgnach ...

Yr oeddwn gydag ef yr holl amser y bu yn dioddef, gwneithum yr oll allwn i'w gysuro a'i galoni. Nid oedd dim amhaiaeth yngylch ei gyflwr, yr oedd yn ymddiddan fel Sant cadarn hyd y diwedd.

'Y mae gennyf boen Sir' meddai yn bwyntio ei law i'w ochr ... 'Duw a roddo heddwch i ni ynte Sir' medd[a]i wedyn, ac yna hunodd yn dawel ... Cefais hyfyd, y fraint o roddi ei Gorff i orffwys mewn mynwent sydd yn llygaid yr haul, ganol dydd. Gorwedd yno wrth ochr ei gyfeillion dewr a syrthiodd o'i flaen. Fe gyfyd etto pan genir yr Udgorn, a cewch ei gyfarfod mewn llawenydd ...

Derbyniwch fy Cydymdeimlad cryfaf i chwi yn eich galar [ac] yn eich profedigaeth.

Oddiwrth yr eiddoch yn f[f]lyddlon

D. MORRIS JONES

Roedd gwybod y gallech chi gael eich taro fel hyn unrhyw funud a'ch troi yn falurion cnawd yn chwarae ar feddyliau'r milwyr yn ofnadwy, fel y cyfaddefodd Sam Johnson mewn llythyr at ei gariad ar 4 Mai 1917:

Mary fach, nid oes gyda neb yna amgyfread [amgyffred] na meddwl pa beth yw swn rhyfel. Mae yr olugfa yn ofnadwy iawn – y weled pethau ar ddynion [a dynion] yn cael cwythu [chwythu] yr awyr. Yr ydwyf wedi cael ddigon yn fy ghalon, fy anwylyd, ag nid ydwyf am cael gweled rhagor. Yr ydwyf yn ofnu bob eiliad taw y fi fydd yn cael ddrwg nesaf; ond wyf wedi safio, hyd ar hyn, heb cael ddim.

Yn Ffrainc a Fflandrys yn ystod y Rhyfel Mawr cafodd un o bob saith milwr ei ladd, ond cafodd un o bob dau ei anafu. Dyma Samuel Williams o Drefriw yn disgrifio sut y digwyddodd hynny iddo yntau:

Yn sydyn teimlais rywbeth yn fy nharo yn fy ysgwydd dde ac yn mynd fel haearn poeth trwy fy ysgwydd. Roeddwn wedi fy saethu. Cofiaf fy mod yn gorwedd ar lawr. Daeth bechgyn y Red Cross heibio a'm cario i lawr i'r Bat(talion) Dressing Station ac yno cefais dynnu y bwled o'm cefn. Nid anghofiaf y daith i lawr yn yr ambiwlans – y ffordd yn dyllog a'r ambiwlans yn hercian ymlaen a phob tolc yn gwneud i'r bwled fy stabio – ond ar ol cael bwled allan yr oedd pethau yn well.

• • •

Mewn llawer man ar faes y gad ceid *dressing station*, noddfa lle gallai'r milwyr clwyfedig gael triniaeth dros dro, cyn cael eu hanfon yn eu blaenau i'r ysbyty. Mae un o'r rhain wedi goroesi ger y gamlas yng nghyffiniau Ieper, man a enwyd yn Essex Farm gan y milwyr.

Adeiladwyd Essex Farm yn ei ffurf bresennol ar ddechrau 1917 gan beirianwyr Adran Gymreig y fyddin, ac mae ar ffurf rhes o ystafelloedd bach concrit yng nghesail poncen isel. Yr hyn sydd fwyaf trawiadol am y lle hwn yw pa mor gyfyng ydoedd, o gofio prysurdeb y meddygon a'r math o achosion difrifol a oedd yn cael eu trin yno. O ymestyn breichiau ar led, mae modd cyffwrdd blaen bys ar ddwy ochr yr ystafell.

Meddyg o Gaernarfon oedd Dr Tasker, a thipyn o sioc iddo oedd yr amodau gwaith ar faes y gad yn Ffrainc, fel y nododd yn *Baner ac Amserau Cymru* ar 3 Hydref 1914:

Cefais fy symmud yma ar y 5ed, a heno yw y noson gyntaf i mi gael tynu fy esgidiau, ac i gael ymolchi ac eillio fy ngwyneb. Yr wyf yn hollol iach trwy y cyfan. Y fath amser dychrynllyd ydym wedi ei gael! Ofer yw ceisio ei ddisgrifio; ond dywedaf y cyfan wrthych pan ddeuaf adref. Heddyw yr wyf, yn mysg pethau eraill, wedi tori ymaith fraich i swyddog Germanaidd, yr hwn mewn bywyd dinesig yw y barnwr blaenaf yn Berlin, ac hefyd coes i un o'n milwyr ni. Ddoe a heddyw yr ydym wedi claddu dros hanner cant o feirw, Germanaidd a Phrydeinwyr.

Etto dywedaf ei fod yn rhy ddychrynllyd – llawer rhy ddychrynllyd. A ellwch chi synied am yr olygfa ddoe? Mewn un man gorweddai trugain o gyflegrwyr Germanaidd yn farw, ac wedi eu darnio, yn ymyl eu gynau drylliedig. Y mae ffyrnigrwydd y frwydyr yn ofnadwy.

Os oedd hi'n anodd i'r meddygon, gymaint gwaeth oedd hi i'r cleifion – ond ychydig o rwgnach a geir yn eu llythyrau adref. Dyma sut yr ysgrifennodd y Preifat John Jones at ei fam:

Anwyl fam,
Tydyw i ddim yn Teimlo fy hun yn dda iawn mi gefais pisin o rifle Grenade yn bone [bôn] fyn nhlyn [nghlun] ac mi fuam yn yr hospital am tua tri diwrnod ... dim ond gobeithio na tydach ddim yn poeni llawer yn fy nhylch. Wel hyn yn fyr a bler oddiwrth J. Jones.

Wrth geisio cysuro milwyr clwyfedig, synnwyd y gweinidog Cynddelw Williams droeon gan ddewrder rhai o'r dynion hyn:

Meddyliaf yn fynych am un gwron oedd yn smocio'i sigaret yn hamddenol, a'i droed i ffwrdd.

Erbyn diwedd y rhyfel roedd 41,000 o ddynion wedi colli braich neu goes. 'Synnir ni,' meddai gohebydd *Y Celt a'r Cymro Llundain* ar 22 Gorffennaf 1916, 'i weled y clwyfedigion mor siriol eu hysbrydoedd hyd yn nod wedi colli eu haelodau.'
Ond nid oedd pob milwr yn gallu derbyn ei dynged mor ddirwgnach, ac roedd golygydd *Y Darian* ar 31 Ionawr

1918 yn rhyfeddol o ddi-gydymdeimlad tuag at filwyr oedd yn methu derbyn eu hanafiadau yn raslon:

Gresyn bod yr un milwr yn dod adref i beri blinder i neb, ac i ddiflasu bywyd hen ffrindiau. Gofidus gan bawb o honom weld gwr dan glwyfau'r gâd, eithr nid yw surni a brath-eiriau hyd yn oed milwr clwyfedig yn felys gan neb. Gwareder ein llanciau rhag colli eu hynawsedd!

Roedd yr RAMC, neu'r Corfflu Meddygol, wedi cynyddu o 20,000 o ddynion ar ddechrau'r rhyfel i 150,000 erbyn y diwedd, ac roedd hanner miliwn o welyau dan eu gofal. Gwelwyd hefyd gynnydd sylweddol yn niferoedd y merched oedd yn nyrsio. Dyma nodyn byr o bapur *Y Clorianydd* ym Môn:

Bu Nurse A. Prytherch adref am rai dyddiau yr wythnos diwethaf, cyn mynd ohoni i Ffrainc am wasanaeth y Groes Goch. Merch ydyw i Mrs Prytherch, Pwllgyna. Llywied yr Arglwydd ei llwydd a'i lles.

Cafodd naw miliwn o filwyr eu trin ganddyn nhw, ac roedd 2,250,000 o'r rheini yn ddigon difrifol i'w hanfon 'nôl i Brydain. Gwasanaethu mewn nifer o ysbytai yn Lloegr a wnaeth Griffith Henry Jones o Ysbyty Ifan:

Roeddwn yn teimlo fod erchyllterau y rhyfel yn dod yn fwy amlwg i mi o hyd wrth symud o un lle i'r llall. Wedi bod yn Manchester gyda gasses a fractures, symud i Stockport at gasses and fevers, sef Malaria a Thyphoid o'r Aifft. O'r fan honno wedyn i'r Lord Derby Hospital, Warrington, Lunatic Asylum wedi ei chymryd drosodd gan y War Office, sef mental cases oedd ganlyniad i'r rhyfel a'i heffeithiau ofnadwy.

• • •

Roedd y clwyfedigion yn dod o'r ffrynt yn ddi-baid, a'r gwaith yn ddiddiwedd i Griffith Henry Jones a'i gyd-weithwyr, gymaint felly fel bod amser rhydd o'r gwaith yn beth prin iawn. Dyma ran o lythyr a ysgrifennodd Griffith Henry Jones at ei uwch-sarjant yn erfyn am *leave*:

Sir,
I beg to apply for four days leave from 15/12/16 till 12pm
19/12/16 for the purpose of proceeding to my home at
Bettws y Coed having served over a year and not had a
leave yet. I shall be greatly indebted to yow sir if yow
will grant me this request.
  I have the honours to be
  Sir.
  Your obedient servant
  Pte Jones.

Doedd dim byd yn anarferol yn hyn; yn Ffrainc gallai dynion fynd cyhyd ag ugain mis heb gael *leave*, fel y tystia Johnny Jones o Bandy Tudur mewn llythyr at ei deulu ar 9 Mawrth 1916:

Credaf fod 'general leave' yn y division yn dechrau
heddyw, er nid aeth neb o'r 17th (Battaliwn). Prun
bynnag ni ddylai fy nhro i fod ymhell gan nad oes ond
pymtheg o'r hen officers a daeth allan yn aros.

Ar gyfartaledd, roedd dynion yn lwcus os oedden nhw'n cael un *leave* y flwyddyn – ond roedd y fyddin mor niferus fel bod hyd yn oed hynny'n golygu symud 40,000 o ddynion yn ôl a mlaen ar draws y môr bob wythnos. Roedd ymweliad milwr ar *leave* yn aml yn cael ei gofnodi ym mhapurau eu broydd genedigol. Dyma gofnod nodweddiadol yn *Y Darian* ar 17 Ionawr 1918:

Llawer o frwdfrydedd oedd yma bore dydd Iau, Ionawr
10fed, pan ddaeth y Pte. Morgan Davies DCM , Wern ddu,

Pontrhydyfen, o faes y rhyfel ar ymweliad a'i rieni. Bwriada dreulio pedwar niwrnod ar ddeg yn ein plith. Llongyfarchwn ef, ar ei wrhydri ar faes y gad gyda dymuno iddo amser dedwydd.

I'r milwyr ym Mhalesteina roedd unrhyw *leave* 'nôl adref yn gwbl amhosib oherwydd y pellter, ond roedden nhw'n cael hoe o'r llinell flaen o leiaf. Mewn llythyr at ei chwaer ar 8 Ebrill 1917, dywed Abram Jones:

Rym yn gorphwys mewn rhyw filldir i lan Mor y Canoldir a mwynhawn ymdrochfa ynddo bob yn ail diwrnod. Gwelaf fechgyn y 7th bob dydd gan ein bod yn gorphwys mhen ryw chwarter milldir i'n gilydd.

Yn Ffrainc a Fflandrys hefyd roedd yn arferiad i dynnu'r milwyr o'r lein yn rheolaidd i 'orffwys'. Dyma ddyfyniad o'r *Drych* ar 3 Chwefror 1916 gan un a oedd yn galw'i hun yn 'Milwr':

Beth be gwelet y golwg sydd arnaf yn dod allan o'r trenshis, fe fyddwn yn methu tynu ein overcoat oddi am danom gan y mwd, ond yr ydym yn hynod o hapus.

Yn *Tros y Tresi* dywed Huw T. Edwards:

Fe gofia pob milwr am y ffordd goed a oedd yn arwain i Ypres ac mor falch y teimlem pan oeddem yn troi cefn arni i ddiogelwch cymharol Poperinghe.

• • •

Poperinghe oedd terminws y rheilffordd ar gyfer y rhan honno o'r ffrynt lein, ac roedd yn ddigon pell o'r ffrynt i beidio â chael ei sielio rhyw lawer. Pan anfonwyd T. Salisbury Jones i ymuno â'i gatrawd a oedd yn gorffwys yno, cafodd sioc fach bleserus, fel y nododd yn ei *Atgofion*:

Nid oeddwn wedi mynd ond ychydig gamau i lawr yr heol na ddeuthum wyneb yn wyneb â chyfaill o Gymro – hen gydnabod; un â'i gartref o fewn drws i'm cartref innau. 'Wmffre bach!' gweiddwn, gan roi fy mreichiau ogylch ei wddf. 'Pwy fuasai'n disgwyl dy weld di yn y fan hyn?' Ac yr oedd yntau yr un mor synedig a balch o'm gweld innau: ac ar unwaith aeth y fan hon a'r lle ar brif heol Poperinghe yn dalp o Gymru, a'r heniaith yn gymaint bwrlwm ar wefusau ill dau a phetaem ynghanol ffair y Borth ...

Arweiniodd fi draw at westy lled fawr, cyfyngedig i'r milwyr, lle'r oedd modd cael bwyd a chyfle i dreulio egwyl diddan. Yno uwchben cwpaned o goffi, cawsom ragor o sgwrs nes ei dyfod yn amser cinio. Gyda llaw, enw'r gwesty hwn oedd Talbot House, a ddaeth yn ragsylfaenydd i'r mudiad twymgalon a dyngarol hwnnw a adwaenir yn awr fel y Toc H.

Mae Talbot House yn dal i sefyll heddiw ar un o brif strydoedd y dref; mae ar agor i'r cyhoedd ac yn llawn dodrefn a thrugareddau o'r cyfnod. Rhwng 1915 a 1918 roedd Talbot House yn hafan o normalrwydd o fewn milltiroedd yn unig i holl erchylltra'r rhyfel, ac roedd yn un o'r ychydig leoedd lle gallai milwyr cyffredin a swyddogion gymdeithasu gyda'i gilydd.

Fe'i sefydlwyd gan y Parchedig Tubby Clayton a oedd yn gaplan gyda'r fyddin. Roedd capel yno ar y llawr uchaf ond roedd Talbot House yn cynnig mwy na man addoli; roedd 'na lyfrgell, byrddau biliards, lle bwyta a gwelyau hefyd. Roedd hi'n ganolfan gymdeithasol.

Byddai milwyr yn defnyddio'r hysbysfyrddau yn Talbot House i holi am eu cyfeillion neu i geisio cwmni eu cyd-wladwyr. Mae rhai o'r negeseuon wedi eu cadw hyd heddiw ar barwydydd y lle:

Gunner H. Jones of Carnarvonshire would like to meet any Welshmen.

H.D. Ward of the first London Welsh would like to meet any friends.

Roedd yn fan lle gallai'r milwyr anghofio am y rhyfel, ac mae arwyddion doniol a oedd yn nodweddiadol o hiwmor y sylfaenydd, y Parchedig Clayton, i'w gweld o gwmpas y tŷ hyd heddiw, er enghraifft:

Abandon Rank all Ye who enter here

Be Reasonable – Do it My Way.

Ond ni ellid anghofio am y rhyfel yn llwyr. Un o'r creiriau mwyaf dirdynnol yn Talbot House yw'r map yn y cyntedd sydd wedi ei dywyllu ag olion bysedd. Hawdd dychmygu sut y byddai'r milwyr yn casglu o'i gwmpas i ddangos i'w gilydd ble roedden nhw wedi bod yn ymladd, a sut y teithion nhw yn ôl i Poperinghe drwy Ieper. Ar y map, mae Poperinghe ac Ieper bron wedi diflannu dan bwysau cannoedd o fysedd, ac mae hanner cylch o olion bysedd yn dangos yn glir y llinell flaen tu hwnt i Ieper.

'Teimlad hyfryd, fel y dywedais, yw dod ar leave,' meddai Huw T. Edwards, *'ond wfft i'r teimlad o fynd yn ôl wedi cael blas ar wely a chroeso hen ffrindiau.'*

'Choeliech chwi byth mor galed oedd dyfod yn ôl,' meddai W. T. Williams yntau; ond mynd 'nôl oedd raid, neu wynebu'r canlyniadau.

• • •

Os oedd Poperinghe yn fan lle gallai'r milwyr ymlacio ynddo, roedden nhw hefyd yn cael eu disgyblu yno. Cafodd sawl milwr ei saethu ar doriad gwawr y tu ôl i neuadd y dref ac mae'r celloedd lle treulion nhw eu horiau olaf, yn ogystal â'r polyn lle clymwyd nhw ar gyfer eu dienyddio, yno o hyd.

Cafodd dros 300 o filwyr eu dienyddio yn ystod y rhyfel, yn eu plith ddeg o Gymry. Saethwyd y rhan fwyaf am *desertion*.

Diflannodd William Phillips o'i fataliwn pan oedden nhw ar eu ffordd i'r ffrynt drwy Poperinghe. Nid dyma'r tro cyntaf iddo fod yn absennol heb ganiatâd, a'i ddedfryd oedd cael ei saethu.

Roedd Phillips yn 21 oed ac yn dod o Dreorci yn y Rhondda, lle roedd ei dad yn cadw siop groser. Dyma ddisgrifiad y caplan, y Capten T. Guy Rogers, o'i oriau olaf:

It has fallen to my lot to prepare a deserter for his death – that meant breaking the news to him, helping him with his last letter, passing the night with him on the straw in his cell, and trying to prepare his soul for meeting God; the execution and burying him immediately ... Monday night I was with him, Tuesday morning at 3.30 he was shot. He lay beside me four hours with his hand in mine. Poor fellow, it was a bad case, but he met his end bravely.

Y bwriad oedd rhoi esiampl i'r milwyr eraill, eu 'hatgyfnerthu yn eu penderfyniad i ddal ati'; ond nid felly roedd y milwyr yn ei gweld hi. Dyma ymateb Ben Owen, pan welodd fan dienyddio un o'i gyd-filwyr:

Sefais un diwrnod mewn buarth glo am 8 o'r gloch y bore; yno yn y fan a'r lle y saethwyd milwr ieuanc o flaen firing squad awr yn gynt am fod ei nerfau wedi pallu yn y frwydr. Nid oedd ei waed wedi ei lwyr olchi i ffwrdd. Yn fy ing gweddïais am fuddugoliaeth i'r gelyn.

• • •

Canran fechan iawn o'r fyddin wnaeth dorri dan

bwysau'r rhyfel – ond roedd sawl un, fel Hugh Pugh o Gorris, a oedd erbyn hyn wedi cyrraedd Ffrainc, yn fodlon siarad yn onest am sut y buasai'n croesawu'r cyfle i gael dianc o'r ffos flaen:

Credaf ein bod yn mynd i fyny'r line yfory neu Dydd Sadwrn fel working party felly fydd hi ddim cyn waethed na pe buaswn yn mynd i ymladd. Mae yma dipyn o chwarae football yn myn[d] ymlaen yma ar fin nos. Roedd y Company yma, y gorau yn y Batt., yn chwarae Company o Regiment arall, ond draw yw hi wedi bod ddwywaith ac maent yn chwarae [e]to yfory. Mae'n alright yma tra y byddwn allan o'r lin[e] ond y drwg ydyw nis gall dyn peidio a meddwl beth fydd o'i flaen ...

Mynd i fyny'r line sydd yn pwyso ar feddwl dyn ... Pe cawswn fy woundio, nice blighty bach rwan – buaswn yn chwerthin.

'Blighty' oedd gair slang y milwyr am Brydain, felly 'anaf blighty' oedd anaf a oedd yn ddigon difrifol i'r clwyfedig orfod mynd adref. Ond nid dyna'r unig ffordd i'r milwyr ddianc o'r gyflafan, fel y tystiodd Hugh Pugh mewn llythyr arall ar 5 Gorffennaf 1917:

Mae'r boys yn gobeithio y tro nesaf y byddwn i fyny y daw y Germans drosodd a cymeryd ni yn garcharorion i gyd. Well hwyrach y buasai yn well arnom.

Y peth rhyfeddaf am hyn yw, nid fod Hugh Pugh mor agored o negyddol, ond y ffaith ei fod wedi cael ei ddal unwaith yn barod gan yr Almaenwyr! A dyma beth ddigwyddodd y tro hwnnw, fel y nododd mewn llythyr ar y pryd:

Cawsom amser poeth ofnadwy, a dweud y gwir mae'n rhyfeddol fy mod yn fyw. Amgylchynodd y Germans tua dwsin ohonom a gorfod i ni roi ein hunain i fyny, a pan aethum atynt, ein bombio wnaethant yn lle ein cymryd ni yn garcharorion. Lluchiais fy hunan i lawr er mwyn iddynt feddwl fy mod wedi fy lladd a daeth un ohonynt heibio i mi a mi rhodd dro i mi a tarawodd fi efo butt end y rifle ond, diolch i Dduw, ddeallodd o ddim fy mod yn fyw. Pe buasai yn gwybod fy mod yn fyw buasai yn siwr o fy lladd.

Os oedd Hugh Pugh a'i ffrindiau yn gallu croesawu cael eu dal, er gwaethaf y posibilrwydd y byddai'r gelyn yn eu lladd yn hytrach na'u cymryd yn garcharorion, mae'n dweud cyfrolau am erchylltra bywyd yn y ffosydd.

Roedd morâl ymhlith y Ffrancwyr yn is fyth. Un o fynwentydd mwyaf trawiadol Ffrainc yw'r un yn Notre Dame de Lorette, lle mae 40,000 o filwyr Ffrengig wedi eu claddu. Mae'r croesau'n ymestyn dros sawl erw, ac yn wir mae yma reseidiau hefyd o feddau milwyr Islamaidd o drefedigaethau Ffrainc. Mae'r fynwent deirgwaith mwy na'r fynwent ryfel Brydeinig fwyaf; ac eto, yn ystod brwydrau Verdun a'r Somme yn 1916, collasid dros ddeg gwaith y nifer sydd wedi eu claddu yn Notre Dame de Lorette. Pan gafwyd dechrau yr un mor gostus i'r flwyddyn 1917, roedd milwyr Ffrainc wedi cael digon. Cafwyd miwtini ar raddfa anferth.

Roedd y Ffrancwyr wedi cymryd y rhan fwyaf o'r pwysau ar dechrau'r rhyfel; oedd 'na beryg eu bod nhw'n dechrau gwegian bellach? Yn sicr, nid dyma'r newyddion gorau i gadfridogion Prydain wrth baratoi ar gyfer cyrch mawr yr haf.

Serch hynny, cafwyd dechrau addawol i'r ymgyrch, ac enillwyd sawl milltir o dir ger Messines yng Ngwlad Belg. O dan y pennawd 'Ffrwydradau Aruthrol', dyma'r hanes fel y'i cafwyd yn *Y Faner* ar 16 Mehefin 1917:

Am ddeng munud wedi tri o'r gloch bore dydd Iau dechreuodd y byddinoedd Prydeinig ymosod ar safleoedd pwysig o eiddo y Germaniaid ar ffrynt o fwy na naw milltir ar drum Messines-Wytschaete. Yr oedd y drum yn safle neillduol o bwysig i'r Germaniaid yn rhanbarth Ypres, am ei bod yn rhoddi golwg fanteisiol i'r gelyn ar safleoedd y Prydeiniaid yn y gwastad-tir islaw. Bu hon ym meddiant y gelyn am ddwy flynedd a hanner. ... Yr oedd yr ymosodiad hwn wedi ei ragflaenu gan danbelenau aruthrol ar hyd y pythefnos diweddaf, a chwythwyd i fyny ffrwydr-weithfeydd yn cynnwys 445 tunell o ffrwydfeydd o'r fath fwyaf dinistriol. Ni bu dim tebyg i hyn ar faes y rhyfel o'r blaen.

Plannwyd 19 o ffrwydron tanddaearol yma, ac mae'r twll a adawyd gan un ohonyn nhw i'w weld heddiw, gyda llyn sylweddol ar ei waelod. Fe fethodd tri â thanio; aeth un i fyny yn ystod storm o fellt a tharanau yn 1955, ac mae dau arall yn dal yno yn rhywle, o dan y ddaear.

Dyma olygydd *Y Faner* eto:

Dywed un gohebydd o faes y rhyfel fod y paratoadau ar gyfer y frwydr fawr hon wedi dechrau flwyddyn yn ol, pryd y dechreuodd y peiriannwyr dwnelu o dan lechweddau Wytschaete a Messines, gan guddio llwythi lawer o ffrwydfeydd yn nghrombil y bryniau, pa rai oeddynt i chwythu y rhanbarth i fyny, ac i wneud y fath gyfnewidiad ar ddaearyddiaeth Ffraingc.

• • •

Nid gosod ffrwydron dan ffosydd y gelyn oedd unig waith y Sappers a oedd yn gweithio yn y cwmnïau twnelu, fel y soniodd Robert Humphreys o Flaenau Ffestiniog yn un o'i lythyrau adref:

[D]yna orchymyn i ni wneyd ein hunain yn barod i fynd i wneyd 'dugouts'. Yr oedd y rhai hyn tua pedair milldir yn nes i'r llinell. Buom wrthi am dair wythnos yn eu gwneyd – tori daear a'i llenwi i sandbags, ac yna adeiladu y ty

gyda hwy, a'u toi a sinc ac nid llechi, ac yr ydym yn byw
ynddynt er's tair wythnos – tua 36 yn mhob un.

Daeth gwaith adeiladu fel hyn yn gynyddol bwysig, wrth
i fisoedd o sielio chwalu'n raddol unrhyw dai annedd neu
adeiladau fferm a allai gynnig lloches, fel yr esboniodd y
Corporal Hugh Ellis:

Nid oes ty o fewn milltiroedd i ni. Mae gennyf ystafell
wely led-gyffyrddus, oddeutu 20 troedfedd yn y ddaear. Fe
synech pe gwelech hi. Pan fydd y dug-out wedi ei orffen,
bydd digon o le ynddo i ddal pedwar cant a hanner
ohonom.

Prin y byddai neb wedi disgwyl i unrhyw strwythur o'r
fath oroesi'r rhyfel, ond yn 1992, wrth agor seiliau ar gyfer
stad ddiwydiannol ar gyrion tref Ieper, cafwyd hyd i ran
o'r hen linell flaen Brydeinig, sef y rhan oedd yn cael ei
hadnabod fel y Yorkshire Trench. Ac yn arwain oddi
wrthi, i lawr i grombil y ddaear, cafwyd hyd i *dug-out*. Y
fan honno oedd pencadlys dwy fataliwn o'r Ffiwsilwyr
Cymreig yn 1917.

Pan ddarganfuwyd y safle yn 1992, pympiwyd y dŵr
allan i weld sut fyddai milwyr fel Hugh Ellis wedi byw yn
y llinell flaen yn 1917, a pha drugareddau a adawyd ar eu
hôl. Yno, blith draphlith ar hyd y lle, roedd bwledi
gynnau, grenades, llwyau, beltiau ac esgidiau. Ond nid
offer y milwyr oedd yr unig bethau i ddod i'r golwg. Yn
y flwyddyn 2005 cafwyd hyd i gorff milwr ger y Yorkshire
Trench. Roedd yn aelod o'r Ffiwsilwyr Cymreig a chredir
mai Thomas John Jenkins, neu Jack Siencyn ydoedd.

Roedd Jack Siencyn yn byw y drws nesaf i deulu fy
nhad-cu ym Mhontrhydfendigaid, a'r noson cyn iddo
gael ei ladd roedd yng nghwmni William Jones Edwards
o'r un ardal yng Ngheredigion. Mae yntau'n disgrifio'r
achlysur yn ei hunangofiant, *Ar Lethrau Ffair Rhos*:

Ffieiddiai Jack ryfel. Roedd yn ofnus dros ben a chredai'n bendant na ddychwelai. Pan fyddem allan o'r ffosydd ciliem i ryw fan dirgel i ymgomio am y Bont, Ffair Rhos a'r perthnasau a'r cyfeillion a oedd yn yr ardal. Darllenem y Cambrian News a'r Welsh Gazette bob gair ac yr oedd gennym fwy o ddiddordeb yn rhestr buddugwyr cwrdd cystadleuol Caersalem nag yng nghenadwriau'r Cadfridog Haig.

Ar y noson cyn yr ymosodiad ar Passchendaele daeth Jack i'm gweld ac meddai, 'Ddo' i ddim 'nôl.'

'Twt twt, Jack bach, doi, doi,' meddwn wrtho, ac ar yr un pryd yn amau na ddeuai'r un ohonom yn ôl.

'Wel,' meddai Jack, 'os na ddo'i, cofia ddweud wrthynt gartre' fod popeth yn iawn rhyngddo fi ag Ef.'

Addewais iddo ac addawodd yntau gario'r un neges i'm rhieni.

Trefnasom hefyd i anfon 'Post Card I Am Quite Well' i'n gilydd mor fuan ag y deuem allan o'r ffosydd. Rhoddem yr enw hwn ar y cerdiau, oherwydd wedi argraffu arnynt yr oedd y brawddegau:

> *'I am quite well'*
> *'I am slightly wounded'*
> *'I am in hospital'*

(Delete sentences not applicable)

Anfonais gerdyn i Jack ond ni ddaeth un i mi oddi wrtho, ac yn fuan cefais ar ddeall ei fod wedi cael ei ladd.

Ar ei *leave* nesaf, felly, aeth Wil Jones Edwards i weld mam Jack, yn unol â'i addewid:

Gorchwyl anodd imi oedd ymweld â'i fam, Mami Siencyn, un o saint a ffyddloniaid Carmel. Cofiaf amdani'n gwasgu fy llaw tra oedd y dagrau'n llifo lawr ei gruddiau'n ddi-atal. 'Y machgen bach annw'l i,' meddai sawl gwaith. 'Y machgen bach annw'l i.' Gynt arferai

Mami Siencyn uno, â'i llais peraidd, yn y canu yng Ngharmel, ond ni chofiaf ei chlywed yn canu wedi hyn.

Cofnodwyd enw Jack ar y Menenpoort neu'r Menin Gate yn Ieper, ynghyd â thua 55,000 o ddynion eraill a fu farw yn yr ardal nad oedd modd eu claddu ar y pryd. Wrth fynd drwy Ieper ac ymlaen i'r ffosydd, ar hyd y lôn i Menen neu Menin yr aeth y rhan fwyaf o filwyr Prydain allan o'r ddinas. Ar ôl y rhyfel penderfynwyd adeiladu porth coffa ar y lôn hon i gofio'r rhai na ddaeth yn ôl. Ar hyd ei waliau mae enwau'r meirwon wedi eu cerfio, ac mewn cwpwrdd bach yn un o golofnau'r porth ceir mynegai i enwau pawb sy'n cael eu coffáu yno. Mae 'na 20 tudalen o Jonesiaid yn unig yn y mynegai hwnnw.

Bob nos, o dan y Menenpoort, cynhelir seremoni syml i gofio meirwon y Rhyfel Mawr. Am wyth o'r gloch mae'r heddlu yn atal y traffig o boptu i'r porth, mae aelodau o'r gwasanaeth tân lleol yn camu allan i'r lôn, ac mae nodau pruddglwyfus y 'Last Post' yn atseinio dan fwa'r porth. Mae hyn wedi digwydd bob nos ers 1929 (ac eithrio'r pedair blynedd pan fu'r ddinas yn nwylo'r Natsïaid).

Mae hyn yn gyfle i fyfyrio ar y gwastraff bywyd a groniclir mor fanwl ar waliau'r porth. Mae'n anodd amgyffred maint yr aberth honno, gan gofio nad enwir yno neb o Seland Newydd nac Awstralia, sydd â'u cofebau eu hunain yn yr ardal, na neb chwaith o Brydain a gollwyd ar ôl 16 Awst 1917 gan fod y rheini'n cael eu coffáu ar wal anferth ym mynwent Tyne Cot.

• • •

Lladdwyd Jack ar ddiwrnod cyntaf y frwydr, 31 Gorffennaf – yr un diwrnod ac yn agos iawn i'r fan lle bu farw Ellis Humphrey Evans, neu'r Prifardd Hedd Wyn. Mae yntau wedi dod yn symbol o'r genhedlaeth gyfan a gollwyd, ar ôl iddo ennill y gadair yn Eisteddfod Genedlaethol Penbedw yn 1917.

Dyma sut y disgrifiodd golygydd *Y Faner* seremoni'r Gadair Ddu yn rhifyn 15 Medi 1917:

Meddai yr Archdderwydd mewn llais crynedig, '... y mae genyf y newydd prydd iawn iawn i'w gyhoeddi fod y buddugwr ei hun wedi syrthio yn y rhyfel, ac yn gorwedd mewn gwlad estronol. Yr oedd yn un o'r beirdd mwyaf addawol a gododd Cymru. Bugail ar y mynyddoedd ydoedd, ac wedi yfed llawer iawn o fardoniaeth y mynyddoedd i'w nature ei hun. Ei enw ydoedd Ellis Evans (Hedd Wyn), Ysgwrn, Trawsfynydd, ac y mae yn gorwedd yn ei fedd yn Ffraingc er mis Gorphenaf.'

Syrthiodd y newydd yn drwm ar galonau y rhai oedd yn bresennol. Ac meddai yr Archdderwydd yn mhellach – 'Nid ydym am gadeirio ei gynreichiolydd, a'r oll a wneir yw rhoddi y Fantell du dros y gadair wag.'

Pan gynhaliwyd Eisteddfod y Gadair Ddu roedd y brwydro o gwmpas Ieper eisoes yn ei anterth ers dros fis. Byddai'n ddau fis eto cyn iddo gyrraedd Passchendaele, y pentref a roddodd ei enw i'r frwydr, a'r man yr oedd y milwyr i fod i'w gyrraedd ar y diwrnod cyntaf hwnnw, pan laddwyd Jack Siencyn, Hedd Wyn a miloedd o ddynion eraill. Ac roedd rhai milwyr newydd yn dal i gael eu hanfon ymlaen.

Mab fferm o Bonterwyd oedd J. M. Davies, a doedd trin reiffl ddim yn peri unrhyw broblem iddo, fel y soniodd yn ei hunangofiant, *O Gwmpas Pumlumon*:

Gwyddai'r rhan fwyaf ohonom beth oedd cario gwn ac nid oedd angen llawer o gyfarwyddyd arnom yn y cyfeiriad hwn. Roeddwn i wedi lladd digon o lwynogod yng nghreigiau Gyfarllwyd ger Pontarfynach i wybod beth oedd 'tanio cyflym'.

Ond doedd dim byd a allai ei baratoi ar gyfer cael ei fwrw i ganol y frwydr am Passchendaele:

Wedi cyrraedd ... gwelsom olygfa frawychus, sef dillad y bechgyn a laddwyd yn y frwydr flaenorol wedi eu gosod ar bennau'i gilydd yn drefnus – a'r pentwr yn fwy na llawer i das wair. Pan ai'r milwyr ymlaen i'r ffosydd blaen gadawent eu paciau (yn cynnwys côt fawr a manion eraill) nes dychwelyd. Ond y tro hwn nid oedd fawr o'r bechgyn wedi dychwelyd, a'r dillad yn aros fel rhyw gofgolofn uchel iddynt.

Gwelodd W. T. Williams domen tebyg o ddilladach a phaciau ei gyd-filwyr:

Treuliais brydnawn Sul diweddaf i edrych arnynt. Peth teimladwy iawn oedd darllen eu llythyrau, ac edrych ar y darluniau yn eu pocedau. Yr oedd rhywrai wedi bod yn chwilio eu pocedau, ac wedi taflu y llythyrau, darluniau a cigarettes ymhob cyfeiriad. Nid ydynt yn taflu [sic] mwy o sylw i gorph dyn yma, nac y byddwn ni i gorph dafad ar ochor y Foel.

Er mor enbyd oedd y brwydro yn ardal Ieper yn 1917, ychydig iawn a gafodd ei ffilmio. Roedd y War Office Cinematograph Committee wedi penderfynu canol-bwyntio yn hytrach ar gyfres o ffilmiau digon dieneiniad am gatrodau unigol. Efallai fod ffilm y Somme y flwyddyn cynt wedi rhoi darlun rhy onest o'r dioddef ar faes y gad, ond roedd y dynion yn dal i gael eu clwyfo, p'un a oedd y camerâu yno ai peidio. Dyma J. M. Davies eto:

Drannoeth tawelodd y frwydr a chawsom fynd allan i dir neb i chwilio am glwyfedigion ... Dywedodd un o'r meddygon wrthyf y cawn beint o de am bob un a ddygwn yn ôl. Deuthum a phump a chael pum peint o de cynnes a wnaeth les anarferol imi ar ôl bod dros naw niwrnod heb i ddim cynnes fynd dros fy ngenau.
... Methodd y ration party ddod â bwyd i ni drwy'r tân

am rai diwrnodau; ... daeth un â ... dixie ar ei gefn yn llawn gyppo, math o gawl, ond yn anffodus roedd nifer o fwledi wedi tyllu'r llestr a phan agorwyd ef, doedd ond ychydig o bys ar ei waelod.

Troes haf gwlyb yn hydref gwlypach, ac roedd byddinoedd Prydain yn dal i symud yn eu blaenau yn boenus o araf. Cipiwyd Passchendaele o'r diwedd ar 7 Tachwedd 1917, ond erbyn hynny, prin roedd 'na garreg ar garreg ar ôl. Roedd y tir o gwmpas Ieper wedi ei droi yn anialwch ffiaidd, fel y disgrifiodd W. T. Williams mewn llythyr at ei rieni:

Yr ydym at ein cluniau mewn baw, a phe gwelech ni yn dod yn ol buasech yn meddwl ein bod wedi bod yn agor ffosydd yng ngwaelod Cae Pellâ am wythnos o leiaf. Mae yn anodd iawn cadw ar ei draed o gwmpas ac yn y trenches yma. Mae y tir wedi ei chwythu a'i dyllu nes mae ei berfeddion allan ymhob cyfeiriad.

Pan ddaeth y frwydr fawr i ben, nid oedd y fyddin ond ychydig filltiroedd ymlaen o'r man lle cychwynnodd; ond roedd wedi dioddef colledion difrifol. Dyma W. T. Williams eto:

Nid oes croen ar y tir yn unman, ac y mae fel pe baech yn byw mewn cae tatws gwlyb ar hyd y dydd. Nid gwlŷdd tatws welwch yn ymgodi o'r ddaear yma, ond coesau a phennau dynion.

Ond tybed a oedd y sefyllfa mor anobeithiol mewn gwledydd eraill lle roedd milwyr Prydain yn brwydro?

• • •

Yn dilyn methiant brwydrau Gaza yn gynharach yn y flwyddyn, roedd y fyddin ym Mhalesteina wedi cael arweinydd newydd, sef Edmund Allenby. Ei dasg gyntaf oedd ailennyn brwdfydedd ar ôl haf digon tawel yn y ffosydd. Dyma a ddywedodd un o'r magnelwyr (gunners) o Gymru, pan ysgrifennodd i'r *Faner* dan yr enw J.E.W.:

Un cysur y ffosydd hyn ydyw, nid yw y gelynion yn lluosog; y maent yn hawdd eu trin; ac yn gorfod cilio yn ol er gwaethaf eu holl ymdrech. Yn wir i chi, y mae ffroenau yr gwn mawr yma yn ddigon o fraw iddynt, heb son am yr hyn a ddaw o honynt. Bydd yr hen anialwch yma yn crynu yn aml o danynt.

I Sam Johnson o Gynwyl Elfed roedd y gwres yn fwy o broblem na'r Tyrciaid. Yn ei lythyr ar 4 Mai 1917 dywed:

Mae yr tywydd yma yn rhyfedd o dwym nawr, nes bod ni yn faelu wneyd dim yn canol dydd; ag hefyd nid ydym yn treial wneuthyr dim yr pryd hyny. Mae yr dwr yn parhau yr un peth o hyd yma, sef peint ag hanner yr dydd; ag fe licwn rhyfedd cael rhagor.

Erbyn 16 Mai roedd pethau wedi gwella rhyw fymryn:

Mae yn dda genyf ddweyd fod ni yn cael ychidig yn rhagor o dwr at yr peth ag oeddwn yn gael; ag mae hyny yn lot fawr. Yma dyna peth mwyaf sydd eisieu yma. Wyf yn credu yfwn yr ffynon fach Waunddu ar un waith pe buaswn e yma.

Er mor galed oedd bywyd i'r milwyr hyn, mae'n hawdd anghofio, yn ein hoes seciwlar ni, y wefr syml roedd hogiau crefyddol yn ei chael dim ond o fod yng ngwlad yr Iesu, a oedd mor gyfarwydd iddyn nhw o ddarllen eu Beiblau. Roedd 'na elfen o grwsâd yn perthyn i'r rhyfel ym Mhalesteina. Meddai William Jones o Lannerch-y-medd, mewn llythyr at ei deulu:

Annwyl Dad a Mam a theulu –
… Yr ydym yn myned drwy leoedd hanesyddol, ac y mae
son amdanynt yn y Beibl. Ni fu'm erioed mor bell
oddicartref o'r blaen ond yr wyf yn teimlo fel llew i
ymladd dros fy ngwlad, ac nid oes gronyn o ofn arnaf.
Mae'n dda gennyf ddweyd fod Duw gyda mi yn y dug-out
sydd wedi ei wneud allan o dywod … Bu'm yn edrych ar
le y bu Jacob ynddo.

Ac mae'r un brwdfrydedd crefyddol i'w weld mewn
llythyr arall gan un o feibion Môn, Edward Lewis Jones o
Gemais. Dywed mai yn yr Aifft y mae ond mae'n
ymddangos bod y llythyr wedi ei ysgrifennu yn y ffosydd
o gwmpas Gaza yn ystod haf 1917:

Fy annwyl fam –
… Yn yr Aifft yr wyf ar faes y frwydr, a Duw a welo yn
dda i mi gael dychwelyd yn ol yn fuan, a phawb arall
sydd yma o dan yr un amgylchiadau. Yr wyf yn
ysgrifennu y llythur yma mewn 'dug out' o'n gwaith ni
ein hunain, wedi ei wneud hefo 'sand bags' ac yn swn y
gynnau mawr ar hyd y dydd, a'r 'aeroplanes' fel adar yn
y ffurfafen uwchben a phethau rhyfedd iawn yn digwydd
y naill ar ol y llall; ond diolch i Dduw am roddi nerth i ni
ddal y cyfan heb golli arnom ni'n hunain.
*   … Byddwn yn cael amser difyr gyda'n gilydd ar rai*
adegau, a 'does dim yn fwy effeithiol ynghanol y berw i
gyd na chanu emynau bendigedig. Mae rhywbeth mewn
emyn ag sydd yn codi dyn o'r dyfnder ar ei draed, yn
enwedig mewn lle fel hyn, ynghanol crefyddau a daliadau
mor wahanol i'r rhai hyn yr ydym wedi eu harfer a
hwynt. Credaf y bydd i'r rhyfel yma ddatguddio llawer
iawn o drysorau oeddynt wedi eu lladd o falchder,
hunanoldeb, malais a chenfigen, ac fe fydd hynny yn
fendith fawr i ni fel teyrnasoedd. Yr ydym oll ar yr un
lefel heddyw, ac yn gorfod byw yn llawer iawn gwahanol
i'r hyn yr ydym wedi arfer. Y mae hyn yn sicr o ddweyd

arnom, a chredaf mai er daioni y bydd y cyfan yn y pen draw.

Yr ydym yn brwydro yn awr o fewn ychydig filltiroedd i dref o'r enw Gaza, ac y mae son am y lle hwn, fel y gwyddoch, yn yr Ysgrythurau – chwiliwch i mewn ac fe gewch ei hanes mewn cysylltiad a Samson. Felly, chwi welwch ein bod yn dal i fyned ymlaen i gyfeiriad Jeriwsalem, a gobeithiaf y cawn gyrraedd yno yn fuan, ac ar ol cyrraedd yno fe fyddwn mewn lle hyfryd iawn, ac 'rwyf yn gobeithio y cawn y fraint o fynd i ben Calfaria, a chael canu yno yr hen emyn bendigedig hwnnw –

> *Gwaed y Groes sy'n codi fyny*
> *'Reiddil yn goncwerwr mawr ...*

Ac hefyd y cawn fynd i Ardd Gethsemane, a chanu –

> *Wrth gofio'i riddfanau'n yr ardd,*
> *A'i chwys fel defnynau o waed,*
> *Aredig ar gefn oedd mor hardd,*
> *A'i daro a chleddyf Ei Dad.*

Fe fyddai hyn yn beth bendigedig iawn, ac fe fyddai yn achlysur bythgofiadwy yn ein hanes. Nid oes gennyf ddim i ychw[a]negu y tro yma, ond fy nghofion gorau atoch chi oll –

> *Ydwyf, eich mab*
> *Edward.*

Roedd Allenby yn awyddus i weld Jerwsalem hefyd; pan gafodd ei benodi, roedd wedi addo i Lloyd George y gallai gipio'r ddinas cyn diwedd y flwyddyn. Ond, yn gyntaf, roedd yn rhaid iddo dorri drwy linell gref o amddiffynfeydd Tyrcaidd a oedd yn ymestyn 25 milltir, yr holl ffordd o'r môr ger Gaza drwy'r anialwch at Beersheba.

Tref fach ddigon dinod oedd honno yn 1917, ond

roedd digonedd o ddŵr yno. Penderfynodd Allenby mai hwn fyddai'r lle gorau i ymosod. Cipiwyd y dref gan farchfilwyr Awstralia, gyda rhuthr enwog ar gefn eu ceffylau, ond roedd y Cymry hefyd yn amlwg iawn yn y cyrch hwn yn ogystal â'r gwrthymosodiad o du'r Tyrciaid wythnos yn ddiweddarach.

Roedd hon yn fuddugoliaeth bwysig: roedd y ffrynt wedi ei bylchu a'r ffordd i Jerwsalem ar agor unwaith eto. Ond roedd wedi costio'n ddrud, ac mae llawer iawn o fechgyn Cymru yn gorwedd yn y fynwent filwrol yn Beersheba. Ar un garreg fedd ceir y pennill hwn:

> Hwyliodd yn wyn o Walia
> drwy y drin, wron da
> i'w hir saib yn Beersheba.

Un o'r rhai sy'n gorwedd yma yw Edward Lewis Jones o Gemais. Chafodd o mo'r cyfle i ganu 'gwaed y groes' ar fryn Calfaria; bu farw yn 28 oed yn Beersheba ym mis Tachwedd 1917.

• • •

'Nôl yng Nghymru roedd nifer cynyddol yn credu nad 'gwaed y groes' oedd yr unig ffordd i godi'r eiddil i fyny. Roedd syniadau sosialaidd wedi bod yn ennill tir ers cenhedlaeth a mwy, law yn llaw â daliadau Cristnogol yn aml iawn. Ar ddechrau'r rhyfel roedd Aronfa Griffiths o Abercraf wedi defnyddio tudalennau'r *Darian* er mwyn apelio ar ei gyd-weithwyr fel hyn:

Weithwyr Cymru, nid oes un anghydfod rhyngoch a gweithwyr y Cyfandir. Nid oes un anghydfod rhyngddynt hwy a chwi. Bodola yr anghydfod rhwng dosbarthiadau llywodraethol Ewrop.

Mae dros filiwn o Undebwyr Crefftol a Sosialaidd yn Awstria a thair miliwn yn yr Almaen wedi protestio yn erbyn y rhyfel.

... Ni elwodd y gweithwyr drwy unrhyw ryfel erioed.
Nid eich rhyfel chi yw y rhyfel bresennol ... Rhyfel y
dosbarth llywodraethol ydyw, ond ni ymladd y dosbarth
hwnnw. Galwant arnoch chwi i ymladd. Gelwir ar eich
tadau, eich brodyr, a'ch meibion i saethu y gweithwyr
Almaenaidd. Nid oedd yr un anghydfod rhyngoch ond
bydd raid i chwi ddioddef.

Ond paham? Bydd yn rhaid i chwi dalu am y rhyfel.
Bydd raid dioddef eisiau a newyn. Bydd gwragedd a
phlant yn llefain am yr hyn nid yw mwyach. Paham?
Weithwyr Cymru, gellwch osod terfyn ar y gwae, hyd yn
oed yn awr, os mynnwch. Nis gall yr un Llywodraeth
fyned rhagddi a'r rhyfel os gall ei phobl ddweyd gyda
digon o nerth, 'Rhaid cael heddwch.' Dywedwch hynny,
ie, wrth y miloedd. Cerddwch drwy'r ystrydoedd drwy
ddweud hynny. Crynhowch at eich gilydd mewn lleoedd
cyhoeddus a phregethwch hynny.

... Lawr a'r rhyfel. 'Doed dy gleddyf yn dy wain' medd
Iesu yn Gethsemane. Gristnogion y wlad, dihunwch!

Ond roedd teyrngarwch i'r brenin ac i'r wlad yn drech na theyrngarwch dosbarth i'r rhan fwyaf o weithwyr Cymru, wrth iddyn nhw ymrestru yn y fyddin yn eu cannoedd o filoedd. Roedd Tom Thomas o Foncath yn un o'r rhai a wrthododd ymladd, a chafodd ei anfon i Ffrainc i weithio fel llafurwr gyda'r Non-Combatant Corps; pan wrthododd godi sieliau i drên oedd wedi gadael y cledrau, bu bron iddo gael ei saethu. Mewn llythyr o Ffrainc ar 1 Gorffennaf 1917, mae'n disgrifio'r cyfnod a dreuliodd yn yr ysbyty yng nghwmni milwyr clwyfedig o'r llinell flaen:

Annwyl Gymrawd,
... Wel fel yr oeddech yn gwybod fe gefais ddamwain yn y
gwaith ac fe gefais bythefnos mewn Hospital yma, yr
oeddwn yn dadlwytho coed un prydhawn ac fe syrthiodd
darn o bren ar cefn fy nhroed gan ei anafu yn gas ond

erbyn hyn y mae wedi gwella yn iawn. Trist iawn oedd gweled y bechgyn ieuanc oedd yn yr Hospital, werin gyffredinol Prydain fawr yn aberthu ac yn dioddef yn eu tywyllwch ac yn gwneud y cadwynau yn mwy sicr oddiamgylch iddynt. Mae pawb wedi cael digon ar y rhyfel ac yn disgwyl y diwedd yn enbyd.

Serch hynny, bu'r rhyfel yn fodd i hybu achos Llafur mewn sawl ffordd annisgwyl. Cydnabuwyd yr undebau fwyfwy, a chafodd y diwydiant glo ei led-wladoli gan y Llywodraeth. Meddai golygydd *Y Darian* ar 31 Ionawr 1918:

Fe welir felly fod arwyddion amserau y rhyfel er daioni i'r ysbryd gwerinol, a chan belled ag y mae cael gwleidyddiaeth mwy democrataidd yn y cwestiwn, nid oes amheuaeth na fydd yn fwy cyffredinol nag erioed ar ol y rhyfel.

Ond roedd un datblygiad arwyddocaol arall a wnâi Tom Thomas yn fwy hyderus wrth edrych tua'r dyfodol:

Credaf fod bellach ambell i belydryn yn ymddangos trwy y cwmwl du, ar disgleiriaf ohonynt oll yw y chwildroad sydd wedi cymerid lle yn Rwsia. Credaf mai ffrwyth Efengyl Tolstoi ydyw ac y mae yn drieni na fuasai y person ardderchog hynny yn fyw i weld ei wlad wedi aileni o gaethiwed i ryddid. Credaf fod holl orseddau Ewrop heddiw yn siglo hyd eu sylfaenau oblegid mae'r werin yn dechrau deffro ac y mae y llywodraethwyr yn gwybod hynny ac yn ofni.

• • •

Rhywbeth arall oedd yn tanio dychymyg pobl 'nôl yng Nghymru oedd y tanc. Arf gyfrinachol oedd y tanc i ddechrau; cosbwyd papur *Y Brython* am argraffu llun o

danc yn 1916 a phan ysgrifennai golygydd *Y Seren* tua'r
un pryd, roedd yn amlwg am osgoi mynd i drybini tebyg.
O dan y pennawd 'Llong Ryfel ar Dir Sych' aeth golygydd
Y Seren ati i ddweud:

*Ni chaniateir rhoddi nemawr fanylion am wneuthuriad y
Tir Long newydd effeithiol hon. Gellir dweyd ei bod fel
Cerbydau Pharaoh yn cludo milwyr ac yn gwasgaru
dinystr pa le bynnag yr a. Meddylier am fath o dŵr
haearn cryf eang ar olwynion, gyda pheiriant ...*

    *Pan yn symud ymlaen dros le di-rwystr, ymddibynna
ar olwynion fel rhyw gerbyd arall. Pan ddaw at dwll neu
ffos y rhaid ei chroesi, efelycha y lindys (caterpillar) ac
am hynny gelwir ei symudiad yn symudiad y lindys
(caterpillar movement). Os sylwer ar y lindys yn teithio,
gwelir ei fod yn gafael a'r traed blaen, yn gwneyd bwa o'i
gefn, gan dynnu ei draed ol nes cyffwrdd a'r traed blaen;
yna gollynga.*

Mae'n ddisgrifiad diddorol, ond mae'n weddol amlwg
nad oedd yr awdur hwn wedi gweld llun o danc, neu 'dir-
long' chwedl yntau!
    Defnyddiwyd nifer bychan o danciau ym mrwydr y
Somme, ac wyth mis yn ddiweddarach roedd
golygyddion y wasg Gymreig yn dal i geisio cyfleu i'w
darllenwyr sut bethau oedd y peiriannau newydd hyn.
Dyma olygydd *Y Seren* eto, ar ôl brwydr Arras ar 28 Ebrill
1917:

*Dwy elfen bwysig arall yn y fuddugoliaeth fawr yn Arras
oedd y Tanks a'r Gwyr Meirch. Math o long haearn fawr
yn symud ar olwynion enfawr ar dir sych yw y Tank.
Meddylier am 'Steam Roller' dros ugain gwaith yn fwy
na'r injan fwyaf a welsoch erioed, a lle yn ei chrombil i
griw o ddeg ar hugain o ddynion ac yn gallu dringo dros
bennau'r cloddiau ...*

    Mae croen haearn am y tank mor dew fel nad yw

bwledi na reiffl na machine gun yn medru niweidio mwy arnynt na chenllysg ar fur cerryg neu ar do llechi Ffestiniog. Yn erbyn nythleoedd y machine guns y bwriadwyd y rhai hyn yn bennaf; y nythleoedd hyn o eiddo'r gelyn sy'n cyfrif fwyaf o bopeth am ein methiant.

Ond roedd y tanciau'n dal heb gael eu profi mewn niferoedd mawr. Roedd Fflandrys yn rhy fwdlyd iddyn nhw fedru bod yn effeithiol fel rhan o frwydr Passchendaele, ond yn ardal Cambrai, rai milltiroedd i'r de, roedd y tir yn sychach ac yn galetach, ac yno y cafodd y tanciau eu cyfle mawr ar 20 Tachwedd 1917. Ymsododd 381 o danciau ar draws y tir a llwyddo i chwalu eu ffordd drwy ffosydd yr Almaenwyr i gyd. Roedd T. Salisbury Jones yn rhan o'r ymosodiad:

Ar y blaen ... symudai haid o danciau. Ac wedi deall, diwrnod arbennig y tanciau oedd y bore hwn – cyfle iddynt brofi eu medr a'u heffeithiolrwydd yn gymwys mewn brwydr, a hynny am y waith gyntaf i gyd, medde nhw. Nid oeddwn erioed wedi gweld tanc cyn hyn – teclyn od, ryfeddol, fel rhyw gawrfil, tanllyd ei ffroen, yn ymsymud yn eliffantaidd ar draws gwlad, nid ar droed – nid oedd ganddo draed – ond ar ei dôr gan ddefnyddio ei gynffon a'i drwyn bob yn ail i'w hybu rhagddo. Maentumiai y gallai oresgyn unrhyw rwystr a feiddiai groesi ei lwybr, boed ffos, neu glawdd, neu fryn, neu bant, neu ddyn. Ac er ei fod, weithian, yn arf newydd ym mheirianwaith filwrol y fyddin Brydeinig, arswydwn at yr olwg arno'n mynd mor ddidostur a diwrthdro i gyfeiriad ffosydd Jeri.

Fe wnaeth y tanciau dwll pedair milltir ar draws, yn llinellau'r gelyn; cipiwyd 10,000 o garcharorion a 200 o ynnau. Roedd hyn yn well o lawer nag unrhyw beth a gyflawnwyd ar y Somme neu yn ardal Ieper – a hynny am lai nag 1% o'r colledion a gafwyd yn y mannau hynny.

Canwyd clychau'r eglwysi ym Mhrydain i ddathlu'r fuddugoliaeth – yr unig dro i hynny ddigwydd yn ystod y rhyfel. Meddai golygydd *Y Brython*, dan y pennawd: 'DIWEDDARAF: Brwydro Ffyrnig yn Cambrai':

Ar ôl brwydro ffyrnig ger Cambrai mae y frwydr wedi ei dibenu yn llwyr orchfygiad y gelyn.

Ond roedd wedi siarad yn rhy fuan. Doedd neb yn deall sut i fanteisio ar y sefyllfa, ac yn y cyfamser fe gaeodd yr Almaenwyr y bwlch ac adennill y rhan fwyaf o'r tir a gollwyd. Ond o leiaf roedd gwersi gwerthfawr wedi eu dysgu ar gyfer y flwyddyn ganlynol.

• • •

Rhyw wythnos yn ddiweddarach, cafwyd newyddion tipyn gwell o Balesteina. Cipiwyd Jerwsalem ar 9 Rhagfyr 1917, gyda'r Cadfridog Allenby yn cerdded i mewn i'r ddinas, o barch at sancteiddrwydd y lle, yn hytrach na mynd ar gefn ceffyl neu mewn car. Dyma ddisgrifiad John Gwynoro Thomas o'r diwrnod hwnnw:

[C]ychwynasom ymlaen tua Jeriwsalem ar hyd y nos. Wedi teithio tua pum milltir roeddem bron ar derfynau y ddinas, ac roeddem yno yn barod erbyn y bore i gymeryd Jeriwsalem o afael y gelyn, ac erbyn un o'r gloch y prydnawn drannoeth roedd y gelyn wedi ei lwyr lanhau oddiyno ac roedd Jeriwsalem yn eiddo i ni, a da iawn gennyf ddweud mai y milwyr Cymreig roedd y cyntaf yn myned i mewn i heolydd Jeriwsalem a chan erlid y gelyn oddiyno. Yr oedd trigolion y ddinas yn falch iawn o weld y milwyr Cymreig yn dod i fewn i'w heolydd a chan erlid y gelyn i ffwrdd yr hwn oedd wedi bod yn eu trin yn bur arw ers amser pur faith ac roedd y golwg oedd ar y trigolion yn dangos yn eglur mai amser caled a didrefn oeddynt wedi ei gael tra roedd y gelyn yn meiddiannu y lle.

Anfonodd John Gwynoro Thomas gerdyn post at ei deulu yng Ngwyddelwern ar ôl iddo gyrraedd Jerwsalem. Ar y blaen roedd llun o'r ffordd sy'n arwain heibio i Dŵr Dafydd a muriau'r ddinas:

Hebio [sic] y lle yma yr aethom pan oeddem yn mynd i'r ochor draw i'r Iorddonen ar hyd y ffordd yr wyf wedi ei marcio, roedd yr hen bac yn bur drwm wrth fynd i fyny'r allt yma ac yn disgwyl bob munud am ten minutes holt.

A does rhyfedd fod John Gwynoro'n deisyfu am gael seibiant! Doedd y milwyr Cymreig prin wedi cael gorffwys ers eu buddugoliaeth yn Beersheba, ac wedi erlid y Tyrciaid bob cam o'r ffordd i'r gogledd drwy fynyddoedd Jwdea.

Yn ôl un o'i gyd-swyddogion, roedd Allenby yn trin ei fyddin 'fel ceffyl hela; yn ei faldodi yn y stabal fel petai'n werth pum can punt ac yn ei defnyddio ar y maes fel pe na bai werth mwy na hanner coron'. Ond roedd y polisi wedi gweithio.

• • •

Ar ddiwedd 1917 cipio Jerwsalem oedd yr unig lygedyn o obaith yn dilyn blwyddyn ddigon gwael i Brydain. Roedd Rwsia allan o'r rhyfel, a'r ymgyrch yn Fflandrys wedi costio'n ddrud iawn o ran dynion, a hynny heb ennill fawr ddim tir o bwys. Doedd dim hwyliau ar Hugh Pugh o Gorris:

Mae'n hen bryd i rhyw derfyn ddod ar y rhyfel beth bynnag. F'um i erioed mor fed up efo'r army. Maent wedi ein gweithio bron i farwolaeth. Nid yw yn gas gennyf waith ond cefais llond bol i fyny'r line y tro diwethaf. ... Mae mynd i fyny'r line am unwaith yn gwneud i unryw ddyn ffieiddio rhyfel am byth.

Erbyn hyn, roedd Ffrainc yn gwegian yn dilyn gwrthryfel ei milwyr hithau, a'r Eidal yn fregus hefyd ar ôl buddugoliaeth yr Awstriaid a'r Almaenwyr yn Caporetto, yng ngogledd-ddwyrain yr Eidal. Yn sgil hyn, cafodd pum adran o fyddin Prydain eu hanfon at yr Eidalwyr i'w hatgyfnerthu yn erbyn y gelyn. Yn eu plith roedd bataliwn Hugh Pugh o'r Ffiwsilwyr Cymreig, ond bu yntau farw yno o septicaemia yn Ionawr 1918. Yn eironig i un a oedd wedi bod mor boenus ynglŷn â'i draed, roedd hwn yn gyflwr a ddatblygodd, fe ymddengys, ar ôl iddo gael *trench foot*.

Ddiwedd 1917, doedd dim golwg byth o filwyr yr Unol Daleithiau, ac yn sgil y cytuneb heddwch rhwng Rwsia a'r Almaen, roedd degau o filoedd o filwyr y Kaiser ar fin cael eu rhyddhau o'r dwyrain i ymladd yn Ffrainc a Fflandrys.

Ymddangosai'n ddigon o gamp i Brydain lwyddo i ddal pan oedd eraill yn gwegian. Aros yn y rhyfel oedd y nod i Brydain ar ddiwedd 1917 felly; fyddai neb o ddifri wedi rhag-weld y gellid ei ennill erbyn diwedd 1918.

Pennod 5

'Welais i monni mor boeth arnaf ers pan yn France yma'

1918

Un o'r pethau sy'n taro dyn fwyaf am y llythyrau o'r llinell flaen yw'r ymgais gan y dynion i ganfod rhyw fath o normalrwydd yn erchylltra'r hyn oedd yn digwydd o'u cwmpas. Dyma W. T. Williams yn ysgrifennu llythyr at ei rieni ar ôl iddo gael ei dynnu allan o'r llinell flaen yn Passchendaele a'i anfon i ardal Lens yn wythnosau olaf 1917:

Buaswn wedi ysgrifennu cyn hyn onibai ein bod wedi bod yn brysur iawn yn mudo o'r lle ofnadwy hwnnw yn Belgium i le tawel a didwrw yn Ffrainc. Yr ydym mewn mangre ardderchog yn awr, ac mae mor dawel yma ac ydyw ar ddydd Sul yng Nghymru. Gwlad y pyllau glo yw hon, ac mae y bobl yn byw yn y pentrefi hyn ac yn gweithio yn y pyllau, er eu bod yn agos iawn i linell y gelyn. Mae plant bach yn chware o dan drwynau y magnelau mawr yma, a phan y byddwn yn saethu bydd rhaid i ni symud dillad y merched yma oddiar y line. Gwyn ein byd, ynte? ar ol misoedd o ymladd caled ynghanol mwd a baw. Wrth weled y dynion yma yn dyfod o'r gwaith gyda gwynebau duon byddaf yn meddwl weithiau mae yn Porth neu Mountain Ash yr ydwyf. Buasai neb byth yn meddwl fod rhyfel yn y lle hwn, a bod y gelyn mor agos a dwy filldir i'r lle. Nid wyf wedi gweled yr un shell yn burstio yn unman, ac yr ydym yma ers wythnos. Pe buasech yn meddwl am Bethesda fel yr oedd cyn y rhyfel, a bod popeth yn myned yn mlaen yn heddychlawn, a bod ein gynnau ni yng nghwr tomen Chwarel Pantdreiniog; yna chwi gewch syniad lled dda sut y mae pethau ar y rhan hon o'r ffrynt.

157

Ond os oedd y rhyfel wedi dod yn beth 'normal' i filwyr fel W. T. Williams, rhaid cofio hefyd gymaint oedd y rhyfel yn dylanwadu ar bob agwedd ar gymdeithas erbyn 1918 a chymaint yr oedd pethau'n newid, dramor a gartref, fel ei gilydd. Roedd rhyfel bellach yn 'normal' ym mhobman.

• • •

Y flwyddyn 1918 fyddai blwyddyn olaf y rhyfel erchyll hwn, fel y gwyddom bellach – ond yng ngwanwyn 1918, doedd 'na ddim byd i awgrymu bod pethau'n dirwyn i ben. Roedd y papurau newydd, ar y llaw arall, eisoes yn dechrau trafod cyrchoedd ar gyfer 1919! Meddai golygydd *Y Celt a'r Cymro Llundain*:

Disgwylir y bydd gwell llewyrch ar bethau erbyn y Gwanwyn nesaf, canys dyna'r adeg y trefnir ein prif ymosodiad ar gaerfeydd y gelyn ac yr hyderir ei ddanfon yn ol i diriogaethau'r Rhein.

Roedd hyd yn oed hynny yn olwg optimistaidd ar y sefyllfa, yn ôl un 'wag' o swyddog: petai'r fyddin yn dal i symud ymlaen mor araf ag y gwnaethai ar y Somme ac yn Passchendaele, y byddai'n cymryd 180 o flynyddoedd i gyrraedd y Rhein!

Diolchwn na fu raid parhau'r ymladd hyd 1919 gan fod y colledion yn 1918 yn ddigon enbyd, heb ymestyn yr ymladd am flwyddyn arall. Er mor waedlyd oedd brwydr y Somme yn 1916 a brwydr Passchendaele y flwyddyn ganlynol, ychydig sy'n deall mai yn 1918 y collwyd y nifer mwyaf o filwyr Prydain, a hynny er gwaethaf y ffaith fod y rhyfel wedi dod i ben saith wythnos cyn diwedd y flwyddyn.

'Nôl yng Nghymru, felly, roedd yna gymaint o recriwtio ag erioed er mwyn ceisio ail-lenwi rhengoedd y catrodau Cymreig. Ond doedd pob Cymro ddim yn gwasanaethu mewn catrawd Gymreig, wrth gwrs. Signaller gyda milwyr o Ucheldiroedd yr Alban oedd T. Salisbury Jones:

Hannai rhai o berfeddion … ucheldiroedd yr Alban, heb fedru dim iaith ond eu hiaith frodorol hwy eu hunain, y Gaeleg. Od o beth oedd eu clywed yn ceisio ymddiddanu â mi yn yr iaith honno, a minnau yn eu hateb yn Gymraeg! Ond daethom i ddeall ein gilydd yn rhyfeddol. Unpeth a ddysgwyd drwy gyfrwng y fyddin, sef sut i gyd fyw.

Ar y gofeb i filwyr Ucheldiroedd yr Alban yn Beaumont Hamel ar y Somme, gwelir y geiriau:

> *Là a' bhlàir*
> *'s math na càirdean*
> (Da cael cyfeillion
> ar ddiwrnod y frwydr).

A byddai T. Salisbury Jones a'i gyfeillion newydd o'r Alban i gyd yn cael eu profi mewn brwydrau ffyrnig cyn i'r flwyddyn 1918 fynd rhagddi lawer mwy.

• • •

Signaller oedd Ieuan R. Jones o'r Bala yn hefyd. Soniodd rywfaint am ei waith, mewn llythyr a gyhoeddwyd yn *Y Seren* ar 19 Chwefror 1916:

Yr wyf yn teimlo yn ddiolchgar fy mod yn Signaller. Mae ganddynt hwy dug-out hyd yn nod yn y ffrynt line, ac felly, os y bydd yn rhaid i mi fyned i'r ffosydd am y pedwar diwrnod nesaf, ni fydd yn ddrwg iawn arnaf.
… Yn y trenches rhaid i bawb fod yn ei le ei hun, yn enwedig y ni'r Signallers. Rhaid i ni fod un ai tu mewn i'n Dug-out neu yn ei ymyl o hyd, ond pan y bydd y 'cables'

wedi torri. Y pryd hyny rhai i un ohonom fyned i'w trwsio.

Y cables oedd yn cario negeseuon ffôn neu deligraff rhwng y pencadlys a'r llinell flaen a rhwng y milwyr traed a'r magnelwyr (artillery). Ond hyd yn oed os oedd gan y signallers eu *dug-out* eu hunain, roedden nhw'n rhannu llawer o annifyrrwch bywyd yn y ffosydd, fel yr ysgrifennodd Ieuan mewn llythyrau eraill adref at ei rieni:

Mewn llawer lle yr oeddym mewn mwd bron at dopia'n coesau ...

Yn wir yr wyf wedi bod bron a meddwl lawer gwaith eich bod yn byw mewn math o nefoedd! Ond gwn nad yw cartref, pa mor glyd bynag ydyw, ddim yn nefoedd i rieni, pan y mae eu mab yn mhell i ffwrdd yn y rhyfel.

• • •

Ac yn ôl gartref roedd cost y rhyfel yn pwyso'n fwyfwy ar bob haen o gymdeithas. Dywed golygydd *Y Seren* ar 28 Awst 1916:

Costia y Rhyfel yn agos i chwe miliwn o bunau y dydd. Ychydig ohonom sy'n meddwl sut y telir yr arian.

Un ffordd oedd perswadio'r cyhoedd i fuddsoddi eu pres gyda'r Llywodraeth. Roedd un War Saving Certificate (neu drwydded, fel roedd rhai yn eu galw ar y pryd) yn costio 15/6 (77.5 ceiniog yn arian heddiw) a'r Llywodraeth yn addo ad-dalu punt ar ôl pum mlynedd. Byddai pobl yn rhoi eu harian at ei gilydd i gynilo ar eu cyfer. Meddai golygydd *Gwalia* ar 21 Chwefror 1917:

Y mae miloedd o'r cymdeithasau hyn wedi ei ffurfio ym Mhrydain yn ystod y flwyddyn ddiwethaf, ac y mae cyfanswm y trwyddedau a brynwyd trwyddynt erbyn hyn ymhell dros 50 miliwn. Gall unrhyw nifer ffurfio cymdeithas yn gysylltiedig ag eglwys neu gapel, gweithfa neu gymdeithas bentrefol. Derbynir symiau wythnosol o 6c i fyny.

Ychydig wythnosau yn ddiweddarach, roedd golygydd *Gwalia* yn sôn eto am y Benthyciad Rhyfel. Fel y gwelwn, does dim byd yn newydd yn y 'tablau perfformiad' sydd mor boblogaidd heddiw!

Diddorol yw sylwi ar gyfanswm yr arian a roed yn y Benthyciad Rhyfel mewn gwahanol drefi yng Ngogledd Cymru. Mae Caernarfon a Bangor ymhell ar y blaen i drefi eraill yn Arfon. Ym mhrif dref y sir fe gyfranwyd yn agos at 468,000p ac ym Mangor 366,665p. Cyfanswm cyfraniad Conwy ydoedd 80,000p. Cyfranodd Llandudno a Cholwyn Bay yr un faint a'i gilydd, sef 250,000p. Yr oedd Rhyl ychydig yn llai, sef 170,000p. Y cyfraniadau eraill a gyhoeddid ydoedd Llanrwst 36,700p; Treffynnon 50,000p; y Wyddgrug 100,000p; Penmaenmawr 26,000p; Bettwsycoed 300p.

Un o'r siroedd gorau drwy Gymru am gefnogi'r cynlluniau cynilo hyn oedd Ceredigion. Yno, fe lwyddon nhw i gynilo £51 y pen ar gyfartaledd, sef dros £2,000 yn arian heddiw – swm sylweddol mewn sir amaethyddol gymharol dlawd. Cafwyd ymgyrchoedd arbennig i godi arian, er enghraifft, Tank Week yn Aberystwyth yng Ngorffennaf 1918 a War Weapons Week yn Llambed.

Roedd y Llywodraeth hefyd yn defnyddio ffilmiau i helpu i godi pres tuag at y rhyfel. Comisiynwyd y ffilm 'For the Empire' gan y Committee on War Loans for the Small Investor, ac roedd yn annog y cyhoedd i brynu 'trwyddedau' cynilo.

Mae'r ffilm yn dangos sawl golygfa o deuluoedd yn galaru, wedi eu portreadu gan actorion sy'n edrych yn ofnadwy o felodramatig, o'u cymharu â'r ffilmiau newyddion mwy uniongyrchol. Mae'r neges sy'n dilyn, fodd bynnag, yn gwbl ddiflewyn-ar-dafod: 'It takes many bullets to kill one Hun', cyn egluro bod modd prynu 124 o fwledi gyda gwerth un trwydded gynilo. Am yr un swm gellid prynu chwe grenâd llaw, ac yn ôl y ffilm gallai un o'r rhain mewn dwylo medrus ladd cynifer a '15–20 Germans'. Os yw'r ffilm yn ein hanesmwytho heddiw, roedd hi'n boblogaidd iawn gyda chynulleidfaoedd cyfnod y Rhyfel Mawr – cafodd ei gweld gan 9 miliwn o bobl.

• • •

Er gwaethaf llwyddiant yr ymdrechion i godi arian, roedd bwyd yn mynd yn brinnach. Ar ddechrau'r rhyfel, ag economi Prydain yn ddibynnol ers tro byd ar ei diwydiannau, traean yn unig o'u bwyd eu hunain yr oedd y trigolion yn ei dyfu; roedd bygythiad llongau tanfor yr Almaen, felly, yn un difrifol iawn. Dyma ddywedodd golygydd *Y Genedl Gymreig* ar 19 Chwefror 1918 wrth edrych 'nôl ar y flwyddyn flaenorol:

Mae'r sudd-longau wedi bod yn berygl difrifol a pharhaus ar hyd y flwyddyn. Rhwng y suddiadau, cludo bwyd ac angenrheidiau ereill, a gwasanaethu ar y byddinoedd, trethwyd ein hadnoddau mewn llongau i'r eithaf ... yn 1917 y teimlodd y wlad y wasgfa wirioneddol gyntaf ynglyn â bwyd. Yr oedd prisiau yn codi o hyd, ac yn nechreu'r gwanwyn cafwyd nad oedd tatws i'w cael.

... Apeliodd y Llywodraeth at bawb i gynhyrchu cymaint o fwyd a allai, rhoddodd awdurdodau lleol bob cyfleustra posibl, a'r canlyniad fu fod miloedd o bobl na roddasant raw mewn daear erioed o'r blaen wedi tyfu cnydau da o datws ac o lysiau ereill.

Trwy ymdrechion o'r fath, llwyddwyd i dyfu 24% mwy o fwyd ym Mhrydain yn ystod y rhyfel, ac felly osgoi gormod o ddogni bwyd. Yng Nghymru, cynyddwyd nifer yr erwau oedd o dan yr aradr o 335,000 o erwau yn 1916 i 645,000 o erwau erbyn 1918. Roedd hyn yn gryn gamp, ag amaethyddiaeth mor ddibynnol ar lafur dynol a cheffylau, dau beth a aeth yn fwyfwy prin yn ystod y rhyfel.

Ffurfiwyd Byddin y Tir i baratoi merched a allai lafurio ar y ffermydd, ac roedd 150 o ferched yn ei rhengoedd yng Ngheredigion yn unig. Roedd Pwyllgorau Amaethyddol y Rhyfel ym mhob sir yn gosod cwotâu i ffermydd unigol, yn darparu ceffylau neu dractorau ar gyfer aredig ac yn sicrhau eithrio dynion rhag gwasanaeth filwrol i ddibenion amaethyddol.

Os nad oedd modd gwneud hynny, ceisiwyd cael carcharorion Almaenig i wneud y gwaith, ond nid oedd hynny bob tro yn ddewis poblogaidd, fel y cofnododd *Y Genedl Gymreig* ar 4 Mehefin 1918:

Yn Llys Apêl Milwrol Sir Drefaldwyn cynghorwyd ffermwr i logi carcharorion Germanaidd i weithio ar y tir. Atebodd ei fod wedi cymeryd rhai i'w wasanaeth, ond iddynt wrthod gweithio am ei bod yn rhy wlyb. Aelod o'r Llys: Dylasent gael eu saethu.

Ac yna ar 2 Gorffennaf 1918 yn yr un papur:

Mewn rhai rhanau o Gymru y mae'r amaethwyr yn gwrthdystio yn chwyrn yn erbyn cymeryd carcharorion Almaenaidd i weithio ar y tir ac a rhai cyn belled â bygwth boicotio unrhyw amaethwr a'u cymer.

Yn wyneb hyn dyddorol yw'r dystiolaeth a ganlyn gan ffermwr Cymreig am garcharor Germanaidd. 'Y mae'n weithiwr ardderchog ac ewyllysgar, ac yn ddyn ieuanc dymunol iawn.

Pa le bynag y rhoir carcharorion i weithio, apeliwn at
y ffermwyr i ymddwyn atynt fel yr hoffent i ffermwyr
Germanaidd ymddwyn at eu meibion hwy pe'n
garcharorion yn yr Almaen.'

Er cymaint yr ymdrech i dyfu mwy o gnydau yng
Nghymru a Phrydain, roedd y sefyllfa yn parhau i beri
pryder ar ddechrau 1918. Rhybuddiodd *Y Darian* ar
3 Ionawr fod 'Cyfundrefn y Rations' yn nesu:

Digon difrifol yw'r sefyllfa o hyd, ac y mae arnaf ofn mai
gwaethygu a wna am beth amser eto. Nid ydym hyd yma
wedi gweld eithaf ein dioddef. Nid oes dim i'w ddisgwyl
ond cynnydd yn ein colledion ar y môr. Nid ydym hyd
yma wedi gallu adeiladu digon o longau newyddion i
gymryd lle y rhai a suddir o ddydd i ddydd, a chyhyd ag
y pery'r drefn hon cynhyddu a wna ein hanawsterau a'n
peryglon. Daw'r adeg cyn bo hir, mi gredaf, pan orfodir
Arglwydd Rhondda i rannu i bawb ei ddogn o fara a
chaws a chig a phob lluniaeth. Pan wneir hyn bydd yn
angenrheidiol dodi'r tlawd a'r cyfoethog ar yr un tir.
Rhaid i'r Llywodraeth gymryd dan ei haden foethusfwyd
y naill yn ogystal ag anghenfwyd y llall. O ranu'r baich
yn anghyfartal y cyfyd perygl, ac fe wyr Arglwydd
Rhondda hynny cystal a neb. Gall pawb wneud eu rhan
gyda hyn ac eithaf gwaith i'r tuchanwyr eu gorfodi i godi
rhywfaint o ymborth gartref, a thrwy hynny helpu eu cyd-
ddynion, yn lle beirniadu a chreu anawsterau byth a
hefyd. Mwy o gynhildeb gyda bwyd tramor a mwy o lafur
gyda chodi cnydau cartref – dyna ddyledswydd pawb, a
dyna'r unig lwybr diogel i'n gwlad yn ei chyfyngder.

Ym mis Chwefror 1918 daeth dogni bwyd i rym yng
Nghymru; roedd y sefyllfa'n llawer gwaeth, wrth gwrs,
i'r milwyr ar y llinell flaen, fel y tystiodd W. T. Williams:

Mae bara yma mor brin ac aur, a buom yn byw ar gorn beef a chacennau (caletach na haearn 'Spaen) am bythefnos, nes yr oedd ein cegau yn gignoeth bron.

Roedd bwyd yn hollbwysig i gynnal ysbryd y milwyr, fel yr eglurodd J. M. Davies yn ei hunangofiant, *O Gwmpas Pumlumon*:

O flaen pob Cwmni âi'r cookhouse, sef wagen a dynnid gan ddau geffyl, ac arni 'roedd stof a thân glo o dano a phair yn berwi yn barhaus. Roedd arogl y sŵp megis moronen i asyn, yn galondid i ddenu yn eu blaen y newynog a'r blinderog. Am ddeuddeg o'r gloch byddai'r bataliwn yn aros a phob cwmni yn mynd ymlaen yn eu tro at y man-coginio.

Ond weithiau doedd y ddogn swyddogol ddim yn ddigonol, fel y soniodd W. T. Williams mewn llythyr at ei rieni ar 8 Ionawr 1918:

Y dydd o'r blaen cododd ysgyfarnog ynghanol criw o'r hogia yma yn un o'r maesydd cyfagos, a chan fod cig ffres yn bur brin yn y pen hwn o'r byd fe ddarfu i ni geisio ein goreu ei dal. Gan nad oedd gennym arfau priodol bu rhaid i ni luchio ein hetiau haearn ati, ac ar ol helfa hwyliog iawn fe goddiweddwyd y creadur buan yn y diwedd, ond beth oedd un ysgyfarnog rhwng cynifer, onide?

Nid W. T. Williams oedd yr unig un i fanteisio ar bob cyfle i ychwanegu at ddogn bwyd y fyddin. Dyma hanesyn arall gan J. M. Davies:

Un noson go dawel pan oeddem yn y lein mewn man arbennig gwelais datws wedi tyfu ar dir neb. Deuthum â chymaint ag a allwn eu cario ar y pryd yn ôl gennyf a mynd ati i wneud chips ... Wedi llwyddo i gael tân

*rhoddais delpyn o margarine yn fy helmet ddur.
Glanheais y tatws orau medrwn a chyn hir roeddynt yn
dechrau rhostio'n iawn. Ond ar hyn gwelwn ben yr hen
swyddog yn dod i fyny'r lein. Doedd dim amdani ond
diffodd y tân, taflu'r chips a cheisio oeri'r helmet a'i
gosod ar fy mhen. Rhedai'r saim i lawr fy wyneb a thros
fy ysgwyddau. Ond fel yr oedd orau ni ddeallodd y
swyddog beth a ddigwyddasai.*

Ond er bod bwyd yn mynd yn brinnach yng Nghymru,
roedd teuluoedd y milwyr yn dal i lwyddo i anfon parseli
iddyn nhw. 'Newydd da yw yr un am y parsel,' meddai
Ieuan R. Jones. ' "Convoys" ydym ni yn eu galw.' Roedd
diolch am barseli yn thema gyson yn llythyrau'r milwyr.
Dyma W. T. Williams mewn llythyr at ei rieni ar 24 Ionawr
1918:

*Rhaid eich bod wedi gwneud aberth mawr i anfon pethau
da fel hyn o'ch prinder, ac y mae y bechgyn sydd allan
yma, yn teimlo yn ddyledus iawn i bawb sydd wedi anfon
rhoddion iddynt yn yr amgylchiadau cyfyng presennol.*

A dyma lythyr arall ganddo:

*Mae fel tê parti yma heddyw, a choeliech chwi byth
cymmaint y mae y rhoddion hyn oddicartref yn ein
calonnogi. Pan yn bwyta y bara a'r ymenyn, byddaf yn
aml yn cau fy llygaid, ac yn dychmygu fy mod gartref.*

Roedd y fyddin yn trafod 7,000 o sacheidiau o lythyrau
bob diwrnod, yn ogystal â 60,000 o barseli. Nid bwyd
oedd yr unig gysur a gâi'r milwyr o'u parseli, fel y
cofnododd Abram Jones mewn llythyr at ei chwaer:

*Ces y novel oddiwrthyt yn saff a diolch yn fawr i ti am
dani, ond ni dderbyniais y cigarettes etto. Os byddi yn
anfon rhai etto anfon rywbeth arall gyda hwy gan os*

dealla y boys sydd yn eu handlo cyn dod yma fod yna cigarettes mewn parsel, digon o waith y cyrhaedda rheiny ben eu siwrnai.

Cyn iddo gael ei ladd ar y Somme ddwy flynedd ynghynt roedd Dafydd Jones hefyd wedi cyfeirio at dueddiad rhai parseli i 'grwydro':

Anwyl Fam
... Wn i ddim ai anfonasoch barcel i mi fel yr addawsoch ai peidio; beth bynnag nid ydyw wedi dod i law eto felly raid ei roi i fyny, tybiaf fel 'missing' probably "Prisoner of War" '.

Ond roedd rhai parseli a oedd yn cynnwys sigaréts yn llwyddo i gyrraedd pen eu taith, fel y tystiodd W. T. Williams eto:

Bu bron i mi anghofio crybwyll am y 'cigarettes', y rhai oeddynt yn dra derbyniol fel arfer. Hebddynt hwy buasai y bywyd yma yn un dwl iawn.

Roedd y nifer oedd yn smocio sigaréts wedi cynyddu bedair gwaith ers troad y ganrif. Nid oedd pob math o sigarét mor gymeradwy â'i gilydd, fel y datgela'r hanesyn hwn gan T. Salisbury Jones am ei fataliwn yn dod allan o'r lein yn haf 1918:

Yn waeth na dim nid oedd modd prynu sigarennau, ond rhai Ffrengig, ac os oedd rhywbeth yn fwy casbeth na'i gilydd gan ein hogiau ni, sigarennau Ffrengig oedd hyny. Ond, chwarae teg i'r awdurdodau milwrol, trefnent i bob milwr gael pecyn bychan bob wythnos o Penny Woodbines; ond troi eu trwynau ar y math yma o sigarennau a wnai yr hogiau cyn belled a'u bod o fewn cyrraedd mathau mwy urddasol, fel Players, Three Castles, &c. Ac yr oedd y rheini i'w cael bob amser yn nghabanau fel yr eiddo'r YMCA. Nid oeddwn i yn ysmygu, ond fe dderbyniwn fy mhecyn Woodbine fel y gweddill, ond ofer oedd ceisio ei gynnig i neb, ac ni theimlwn, chwaith, fel eu daflu ymaith. Yr hyn a wneuthum oedd ei gadw yn fy kitbag; – i ba bwrpas ni wyddwn – pecyn bob wythnos er y dydd y glaniais yn Ffrainc. Erbyn hyn, yr oedd gennyf rai dwsinau o becynnau Woodbines yn fy mag, a chan fod newyn sigarennau yn awr wedi goddiweddyd ein gwersyll, ac ysbryd yr hogiau yn cyflym glafychu oherwydd y prinder, mentrais ddwyn allan i'r amlwg y cyflenwad oedd gennyf yn fy nghitbag. Bobol bach! Anodd yw disgrifio'r olygfa. Bron na'm hysgubwyd oddi ar fy nhraed gan y rhuthr gwancus. Sôn am lewod ... Do, fe welodd y Penny Woodbine bach ei awr fawr y diwrnod hwnnw.

Roedd smocio yn ffrwyno awydd bwyd, yn cuddio rhywfaint ar oglau cyrff yn pydru, ond yn fwy na dim, dyma'r unig bleser roedd y fyddin yn ei ganiatáu yn y llinell flaen; roedd yn helpu i sadio'r milwyr. Ac roedd angen hynny ar ddechrau 1918.

• • •

Ar 15 Chwefror 1918, ysgrifennodd W. T. Williams lythyr digon proffwydol at ei rieni:

Bydd y gaeaf drosodd yn fuan 'rwan, ac mae pawb yn brysur iawn yn paratoi erbyn y gwanwyn pryd y disgwylir i'r gelyn wneud ymosodiadau ffyrnig ar ein byddinoedd, oblegid mae o yn gryfach 'rwan ar ol i Rwsia roddi ei harfau i lawr. Nid oes dim i'w wneud ond gobeithio y goreu o hyd.

Gyda Rwsia allan o'r rhyfel, roedd cadfridogion yr Almaen yn gallu canolbwyntio ar ffrynt y gorllewin. Roedd Ludendorff yn benderfynol o wneud un cyrch mawr arall yng ngwanwyn 1918 i geisio ddod â'r rhyfel i ben, cyn i filwyr yr Unol Daleithiau ddechrau cyrraedd y maes yn y fath niferoedd fel ag i droi'r fantol o blaid y Cynghreiriaid.

Ond, ar ddiwrnod yr ymosodiad mawr, sef 21 Mawrth 1918, fe gawson nhw un fantais annisgwyl – niwl trwchus. Roedd y prif ymosodiad yn ardal y Somme, ac aeth yr Almaenwyr heibio'r llinell flaen Brydeinig cyn i neb eu gweld nhw. Roedd byddin Prydain yn cael ei gyrru yn ei hôl yn gynt nag yr oedd wedi ei wneud ers dyddiau du yr encilio o Mons ar ddechrau'r rhyfel. Roedd W. T. Williams yng ngwres y frwydr honno pan ysgrifennodd at ei rieni ddeuddydd yn ddiweddarach:

Mae yma frwydr boeth yn cymeryd lle ar hyn o bryd, ac y mae'n debyg y cewch weled yr hanes yn y papurau. Nid oes gennyf fawr o amser i ysgrifennu llawer y tro hwn, oblegid yr ydym ar drot bob dydd ac yn cael ychydig iawn o gyfle i ddim byd.

Doedd dim amheuaeth gan y wasg ynglŷn â pha mor dyngedfennol oedd hyn. Meddai golygydd *Y Darian* ar 4 Ebrill 1918:

[D]yma'r Frwydr Fawr, Brwydr fwyaf y byd hyd heddyw. Ie a mwy na hynny – Dyma Frwydr Fwyaf y Rhyfel bresennol hefyd ... dechreuwyd ei hymladd cyn canu o'r ceiliog fore dydd Iau Mawrth 21fed, 1918 – dyddiad a gofir oesau'r ddaear.

Roedd gan T. Salisbury Jones reswm da dros gofio'r diwrnod hwnnw hefyd:

Trwy gydol y dydd hwnnw disgynnodd pelennau Jeri yn gawodydd ffrwydrol ar ein ffos ni yn ddi-doriad. Nid gwiw oedd i neb feddwl dringo'r grisiau o'r dygowt i roi ei drwyn allan, oni byddai rhyw raid mawr arno. Ac, wrth gwrs, yr oedd yn rhaid ar rai i'w mentro hi – yn enwedig y peirianwyr hynny a arolygai y wifrau – y rheini yn cael eu torri yn barhaus. Yr oedd pob copa walltog ar ddiwti yn yr offis. *Canai clych y teliffon, a churai morthwylion y teligraff yn ddiddiwedd – Negesau brys wrth y degau yn ymwibio ôl a blaen rhwng y pengadlys y tu ôl a rhengoedd y milwyr traed yn y ffryntlein. Negesau mewn termau tebyg i'r isod:*

> *'Enemy massing on sunken Rd J.15A*
> *Can you put down a barrage[?]'*
> *'Put some guns or Howitzers on DOIGNEI'*
> *'Enemy advancing in waves on Square J.10B*
> *in direction of Cambrai Road'.*

Aeth Salisbury Jones â'r negeseuon hyn gydag ef pan fu raid iddo yntau ffoi rhag yr Almaenwyr:

Clywsom sŵn rhywun yn disgyn ar ras gwyllt waered i'r gell gan gamu tair gris ar y tro. Pen swyddog y milwyr traed ydoedd. Yr oedd golwg gynhyrfus arno. 'Chwi beirianwyr,' meddai. 'Ewch ymaith am eich bywyd. Y mae'r gelyn wrth y drws. Ceisiwch gontact â'ch brigad heb oedi.' Enciliodd y swyddog gan ein gadael i rythu, am eiliad, ar ein gilydd mewn syfrdan. Ond eiliad yn unig fuom cyn inni ein had-feddiannu ein hunain. Ar unwaith euthom ati i falu pob dim yn y Swyddfa a dybiem a fuasai o fudd a gwerth i'r gelyn – pob offer teligraff a chyfnewidfa Deliffon, a chofnodion a chopïau o'r negesau a dderbyniwyd yn ystod y nos. Ac yna i fyny'r grisiau â ni yn llawn ffwdan heb wybod yn iawn beth i'w wneuthur wedi cyrraedd y top. Yr oedd y sŵn yn fyddarol a barrage o belennau ffrwydrol yn disgyn yn drwchus ar hyd y ffos i gyd. Amheuem, yn wir, a allem fforddio i fentro drwy'r heldrin ... Ond nid oedd amser i feddwl a phendroni, nac unrhyw ddiben aros yn f'unman. Llemais i'r tân gan geisio diogelwch mewn ambell dwll pelen (shell hole). Ac o dwll i dwll yr euthum am oriau benbwygilydd heb wybod o gwbl i ble y cyrchwn, ond fy mod yn mynd yn ôl i rywle allan o sŵn a chyffro'r brwydro.

Roedd pethau'n mynd yn dda i fyddinoedd Ludendorff ar y Somme ac fe ymosododd yng Ngwlad Belg hefyd. Ond doedd yr Almaenwyr ddim mor llwyddiannus yn ardal Ieper; er iddyn nhw ailgipio'r holl dir a gostiodd mor ddrud i fyddin Prydain yn 1917, fe fethon nhw â chipio tref Ieper ei hun.

Yn ardal y Somme roedd y chwalfa'n parhau. Wrth gilio 'nôl rhag y gelyn, cafodd T. Salisbury Jones ei hun yng nghanol 'gorlifiad o werin bobl ... yn ffoi am eu bywydau gan gludo a fedrent o'u meddiannau'.

Disgrifiodd W. T. Williams olygfeydd tebyg mewn llythyr at ei rieni ar 10 Ebrill 1918:

Mae yn dorcalonus gweled y rhai tlotaf ohonynt yn ffoi o flaen y gelyn, gyda dim ond dipyn o ddillad gwely mewn coach fach, ac yn aml iawn cewch weled y cleifion a'r deillion yn cael eu cludo i fan mwy diogel. Aml i hen wreigen yn cael ei rhowlio mewn coach fach fel plentyn, a'r claf o'r parlys, yntau, yn gorfod gadael ei gadair wrth ochr y pentan, a ffoi o swn y gynnau a'r tânbeleni.

A dyma welodd T. Salisbury Jones:

Ffrydlif o drueiniaid, y cwbl yn mynd i'r un cyfeiriad – yn ôl i rywle – rywle oddi ar ffordd y gelyn; nid oedd wahaniaeth i ble. Llanwent y briffordd, a ninnau, filwyr, yn gymysg â hwy gyda'n lorïau llwythog, a'n celfi, a'n gynnau mawr. Golygfa drist; ni welais ei thebyg na chynt na chwedyn, a gobeithio na welaf, chwaith, byth.

• • •

Yn y cyfamser, ym Mhalesteina ar ddechrau 1918, roedd byddin Allenby yn cymryd eu gwynt atynt ar ôl eu buddugoliaethau yn erbyn y Tyrciaid. Roedd yn gyfle i gladdu meirwon y brwydrau hynny, fel y nododd John Gwynoro Thomas mewn darlith a roes yn fuan ar ôl y rhyfel yng Ngwyddelwern, lle trigai:

Drwg gennyf gofnodi hefyd fod yma lawer iawn o fechgyn Cymru wedi eu claddu yn mynydd yr Olewydd, y rhai a syrthiodd dros eu gwlad o gwmpas Jeriwsalem, ac maent wedi cau y fynwent allan erbyn hyn, ac yn ei chadw yn drefnus er cof am ein cyfeillion.

 Claddwyd yma un o'r un 'section' a fi . Roedd pawb yn hoff iawn ohono ... a barddoni byddai bob amser yn ei oriau hamddenol. Ychydig cyn iddo syrthio yr oedd wedi cyfansoddi ychydig o benillion yn darlunio ei hun yn mynd yn ol i Gymru, ond gwaetha modd fel arall y trodd hi yn hanes, a gorfu i ni roi ei gorff i orffwys ym mynydd yr Olewydd ym mhell o'i hoff gartre oedd wedi bod yn ei ddarlunio mewn barddoniaeth ychydig ddyddiau cyn hynny, a dyma benillion ein diweddar gyfaill:

 I

 O na chawn ni ffydd i edrych
 At amser braf i ddod,
 Pan na bydd swn magnelau
 Na rhyfel erch yn bod;
 Tangnefedd yn teyrnasu
 A heddwch fel y mor,
 Creulondeb ac erchylldra
 Am byth yn cau ei dôr.

 2

 Os glanio wnaf yng Nghymru
 Rhyw fore Gwanwyn gwyrdd;
 Disgwyliaf i'm cyfarfod
 Gyfeillion yno'n fyrdd;
 I lawenhau a sgwrsio,
 Rol bod am amser maith
 Yn brwydro ngwlad yr estron
 Ym mhell o'm hoffus waith.

Ysywaeth, roedd miloedd o Gymry eraill na fyddai'n dychwelyd o 'wlad yr estron' ar ddiwedd y flwyddyn waedlyd hon. Serch hynny, er gwaethaf y milwyr a gollwyd ym Mhalesteina, roedd Allenby wedi ei brofi ei hun yn gadfridog hynod effeithiol, ac ar ddechrau 1918 roedd Lloyd George yn awyddus iddo yrru mlaen a cheisio chwalu byddin Twrci unwaith ac am byth.

Ond doedd neb wedi rhag-weld llwyddiant ysgubol yr Almaenwyr yn Ffrainc, a phan aethpwyd â 60,000 o ddynion Allenby oddi wrtho i atgyfnerthu'r fyddin yn y fan honno, bu'n rhaid iddo fodloni ar aros yn ei unfan am y chwe mis nesaf, ychydig i'r gogledd o Jerwsalem.

• • •

Yn Ffrainc, dal i gilio o flaen yr Almaenwyr yr oedd milwyr Prydain ar ddechrau Ebrill. Yn eu plith roedd T. Salisbury Jones, ac meddai:

Cofiaf yn dda imi gael fy anfon gyda chyfnewidfa deliffon fechan i gae min y ffordd lle y safai tri chadfridog mewn cyfyng gyngor â'i gilydd. Yr oedd tyndra pryder yn amlwg ar eu hwynebau. Ac, yn ôl yr hyn a fedrwn eu loffa oddi ar eu sgyrsiau, cydnabyddent iddynt gyrraedd pen eithaf eu tennyn, ac yn methu a gwybod beth yn rhagor a allesid ei wneuthur yn wyneb yr enciliad cyffredinol, arswydus a oedd yn awr ar droed. Mynnent siarad â'r pencadlys yn ddioedi. Dyna oedd diben fy ngyrru i atynt efo'r offer teliffon. Un swyddog yn unig a siaradodd ar y ffôn, y ddau arall yn sefyll yn bryderus a gwrando. A gwrando a wneuthum innau – ni allwn beidio. Cofiaf y geiriau dwys. Yr oedd her yn llais y swyddog, 'Y mae'r dynion wedi eu gorfodi i wneud mwy na'u gallu, yn ymladd brwydr o hunan amddiffyniad ddydd a nos am ddiwrnodiau heb orffwys. Ni allant wneuthur rhagor.'

Ni chlywn yr atebiad o'r pencadlys, ond ychwanegodd y swyddog yn gwta, 'O'r gorau, Syr, ceisiwn wneud safiad ar linell ...' (gan nodi y lleoliad ar fap). Ac ymaith ag ef, a'r ddau swyddog arall yn dilyn.

Llwyddwyd i atal yr Almaenwyr ger Villers-Bretonneux. O fewn mis roedden nhw wedi gorfodi i'r Cynghreiriaid gilio 'nôl o gyfeiriad Peronne, ugain milltir a mwy; bellach roedd y llanw wedi ei atal, ond nid heb gryn gost, fel y tystia'r mynwentydd milwrol niferus ar hyd y ffordd.

Anodd i neb na fu'n filwr ddychmygu sut olwg oedd ar y wlad cyn y claddu; ond dyma ddisgrifiad W. T. Williams mewn llythyr diddyddiad at ei rieni:

Ar ôl y rhyfel bydd yma le da am gnwd o datws, oblegid ar ochr y bryn yma mae ugeiniau o gyrph pydredig, sef gweddillion y dynion na chawsant eu claddu yn y brwydrau ffyrnig.

Mae yma dinc o hiwmor du sy'n awgrymu iddo hen galedu i'r fath erchylltra erbyn hynny; roedd caledu yn fater o raid.

• • •

Mater o raid hefyd oedd delio â problem a oedd, yn ôl Lewis Valentine, 'yn fwy piwus a phlagus na'r Almaenwyr – y llau bondigrybwyll.' Gyda hoe yn yr ymladd, deuai cyfle i'r milwyr droi eu sylw at y 'pethau bach' a oedd yn eu poeni. Mae'r sylw hwn gan Tom Owen yn ei ddyddiadur yn eithaf nodweddiadol:

Yn yr Line yr ydan o hyd ydan yma yn agos i tair wythnos. Ac yn deimlo fy hun yn dechreu hel bryfad eb gael newid ers 6 weeks tra ydan yma.

Cyn iddo farw yn Ionawr 1918, roedd Hugh Pugh o Gorris wedi apelio am help yn un o'i lythyrau yntau:

Gyrwch Harrison's Pomade i mi mor gynted a gallwch ei gael. Does dim posib cadw llai i ffwrdd odd[i] wrthym. Maent yn bethau poenus ofnadwy.

Roedd llau yn broblem i bob milwr – ac mae'n debyg nad oedd Harrison's Pomade, a fwriadwyd yn erbyn llau pen, yn fawr o gymorth chwaith. Golchi'r dillad oedd yr ateb gorau, ond doedd dim modd gwneud hynny yn y ffosydd. Ceisio dal y llau fyddai'r milwyr ac yna eu malu rhwng ewinedd bys a bawd, neu redeg cannwyll i lawr pletiau'r dillad i drio coginio'r trychfilod bach heb losgi twll yn eu crysau. Yn ei rwystredigaeth, ceisiodd Lewis Valentine gysur gyda chwestiwn digon diwinyddol:

Paham y creodd Duw lau? Daeth Ffrainc i ni, nid yn wlad y gwin na gwlad y ddawns, ond yn wlad y llau. Yma hefyd bu rhyw Araon yn estyn ei law â'i wialen ac yn taro llwch y ddaear 'fel y byddo yn llau' trwy holl wlad Ffrainc.

I T. Salisbury Jones roedden nhw'n bla y gellid eu cymharu â'r Almaenwyr:

Yn bendifaddau, y gelyn oddi mewn oedd y rhain, a'u hystrywiau lawn mor ddiflas ag eiddo'r gelyn oddi allan.

• • •

Ond yn 1918 ychydig o lonydd oedd i'w gael gan y 'gelyn oddi allan', heb sôn am yr un 'oddi mewn'. Yn ei ddyddiadur fe nododd Tom Owen:

Well ers pan fuo fo yn sgweni ar hwn or blaen Mei yr wyf [mi wyf] wedi bod yn ymyl Germans. Ac fuo hi eroid mor agos ifi gael [fy n]galw ymaith.

Mab i gipar ar stad Trescawen ar Ynys Môn oedd Tom Owen. Fe'i ganwyd yn 1895, ac mae'n debyg iddo gael ei gonsgriptio i'r fyddin yn 1916. Gwyddom drwy lythyr a gyhoeddwyd yn *Y Clorianydd* ym Mai 1917 ei fod yn gwasanaethu yn Ffrainc erbyn hynny. Dechreuodd gadw dyddiadur pan ddychwelodd i Ffrainc ar ôl *leave* rywbryd yn Ebrill 1918 gan ymuno â 10fed bataliwn y South Wales Borderers. Er mor niferus yw'r llythyrau sydd wedi goroesi, cymharol brin yw dyddiaduron Cymraeg o'r rhyfel, a hynny yn syml oherwydd bod cadw dyddiadur mewn unrhyw iaith yn erbyn y rheolau. Efallai mai dyna un rheswm pam nad yw Tom Owen yn orfanwl ynglŷn â nodi dyddiadau! Ond does dim diffyg manylder yn ei ddisgrifiadau o'i brofiadau yn y ffosydd:

Mei fuon yn shellio arnom yn galed am awr a hanner. Welais hi monni mor boeth arnaf ers pan yn France yma, eiddan yn desgin mor agos os [nes] oedd daear yn dod fel gafodydd o eira ar fy gefn. Mi oedd mor galed arnaf os [nes] eiddwn yn gyrnu fel dialen. Ac yn yr un modd mi eiddwn yn drio gweddïo Ac mi gefais fy gwrandaw ac fy amddiffin truy ddiolch am nerth a chysgod pan oedd hi yn ofnadwy arnom. Mi glwyfwyd Llawer. A phan eidden yn dechrau shellio ni mi eiddwn ar bryd yn gario bachgen wedi ei glwyfo oedd grefannu [yn griddfan] trwy bod trench yn gul ac yn annodd yw gario a shells yn wir y disgyn mor agos fell rhan fwia ohonynt yn ein dallu.

Cafodd gyfnod byr allan o'r lein cyn cofnodi'r canlynol:

Mi ydan erbyn hyn yn gorfod mynd yn ôl am 4 days gyfeiriad gelyn eto ac mi ydan wedi gael amser go flin a pheryglys wedi golli spel o boys a llawer wedi gael ei glwyfo. Ar ol gorffen 4 days mi gafon mynd yn ol tua 5 milltir oddiwrth gelyn ac mi gafon tua 9 days. Ac yn gweithion o galed ... tra yma gwneud trenches newydd a tugouts yn barod erbyn daw America i['r] t[r]enches.

• • •

Yn ôl Beriah Evans ym mhapur Y Darian ar ddechrau 1918, 'Ar America y dibynna ffawd y rhyfel'. Ond erbyn mis Ebrill 1918, doedd golygydd *Y Celt a'r Cymro Llundain* ddim mor siŵr:

Beth meddech, am filwyr o'r America? Mae'r rhai hyn yn dod i fewn wrth y miloedd yn barhaus, ond gwaith araf ydyw eu ffurfio yn gatrodau effeithiol yn Ffrainc. Ar hyn o bryd mae tua miliwn ohonynt yn paratoi i'r ymgyrch, eithr nid oes ond chwarter y nifer yn alluog i gymryd eu rhan yn y brwydro.

Ond roedd pethau ar fin newid. Fel yr awgrymodd golygydd *Y Celt*, roedd 287,000 o Americanwyr allan yn Ffrainc erbyn Mawrth 1918, ac o hynny ymlaen byddai eu rhengoedd yn chwyddo o tua 300,000 bob mis. Erbyn Tachwedd 1918, byddai 1,944,000 o Americanwyr wedi cyrraedd Ffrainc.

Yn un o'i lythyrau adref, ar 30 Ebrill 1918, mae'r hyn sydd gan William Thomas Williams i'w ddweud am y Cynghreiriaid newydd yn swnio'n od o debyg i'r darlun ystrydebol a gawn genhedlaeth yn ddiweddarach adeg yr Ail Ryfel Byd:

Yr oeddwn mewn tŷ y dydd o'r blaen, a daeth dau o filwyr yr America i mewn. Buom yn ysgwrsio am hir gyda'n gilydd ac fe roddasant ginio da iawn i mi a Chymro arall o Rosllanerchrugog. Yr oedd ganddynt ddigon o arian, ac yr oedd y ddynes wedi dychryn eu gweled yn tynnu y papurau arian yn rholiau o'u pocedi.

Ariannog ai peidio, erbyn canol haf 1918, dros flwyddyn ar ôl ymuno â'r rhyfel, roedd yr Americanwyr yn barod i gymryd rhan am y tro cyntaf mewn brwydr fawr. Ym mis Gorffennaf 1918 llwyddodd milwyr o Awstralia a'r Unol Daleithiau i adennill yr holl dir a gollwyd yn Le Hamel, a hynny o fewn cwta awr a hanner.

Dyma drobwynt yng nghwrs y rhyfel ac yn nhactegau'r rhyfel hefyd. Hepgorwyd y *barrage* cychwynnol oedd yn rhybudd i'r gelyn fod rhywbeth ar droed, a defnyddiwyd tanciau ac awyrennau i gefnogi'r milwyr traed. Dyma ddechrau 100 diwrnod o frwydro a fyddai'n adennill yr holl dir a gollwyd yn y gwanwyn, a llawer mwy.

Roedd *Y Drych*, papur Cymraeg yr Unol Daleithiau, wedi dilyn hynt y rhyfel yn awchus ers y cychwyn gan fod gan gynifer o Gymry America dylwyth 'nôl yn yr hen wlad, llawer ohonynt yn y fyddin. Ond bellach, gallen nhw ymhyfrydu wrth weld Cymry America yn ymrestru yn y rhengoedd. O dan lun o filwr, dywed y golygydd ym mis Mawrth 1918:

Darlun ydyw yr uchod o filwr ieuanc, 23 oed, Sergt. D. Erfyl Watkins, sydd yn mhlith eraill yn cynrychioli Pittsburgh, P[ennsylvani]a gyda byddin y Peirianwyr (Engineers) yn Ffrainc.

Mae tudalennau'r papur yn frith o luniau meibion yr America Gymraeg, megis Lewis E. Davies o Chicago, Owen J. Jones o Minneapolis, neu John Henry Roberts o Edwardsville, Pennsylvania. Ac yn Nhachwedd 1918 cyhoeddwyd llythyr gan ŵr ifanc o dalaith Efrog Newydd sy'n awgrymu pa mor aml-ddiwylliannol o ran ei chyfansoddiadad yr oedd byddin yr Unol Daleithiau:

Anwyl Olygyddion
Gadewais Utica Mai 28ain gydag amryw eraill; yr oedd yna bedwar Cymro o honom ni ... yr ydym yn awr yn Ffrainc yn paratoi am Christmas Box i'r Kaiser. Mae wedi ei chael hi yn o dda yr wythnos ddiweddaf, ond y mae hi yn New Year ar yr Iuddewon yr wythnos yma, felly mae Uncle Sam yn gadael iddynt ddathlu eu gwyl. Gan fod llawer o honynt yn myddin yr U. D., nid ydynt yn

dysgwyl gwneyd fawr yr wythnos yma, ond yr wyf yn dysgwyl cyn bo hir y daw newyddion da fel y cawn ni i gyd ddathlu y fuddugoliaeth fawr ydym i gyd yn ei dysgwyl. Mae gennym ni ddyn ardderchog yn arwain, sef General Pershing, ac fe gefais y fraint o'i weled ef gyda i ni ddod yma, ac fe roddodd anerchiad ardderchog i ni, ac yr oedd efe yn canmol y dyn du yn y rhyfel yma; dynion dewr ac yn ddynion y mae yr Ellmyn yn eu hofni yn fawr ... WILLIAM WILLIAMS

• • •

Ysgrifennai William Williams fis cyn diwedd y rhyfel, ac roedd y rhyfel yn dal yn brofiad cymharol newydd iddo. Nid pawb oedd mor frwd dros y rhyfel, yn enwedig yn nyddiau du gwanwyn 1918. Roedd Griffith Griffiths o Aber-erch, ger Pwllheli, wedi cael ei orfodi i'r fyddin ar ôl ei ben blwydd yn ddeunaw, ac mae ei lythyrau'n llawn hiraeth am ei gartref:

Annwyl Fam,
... Mae yn ddydd Sul yr ydwyf ar fyned i'r gwasanaeth rwan diwrnod braf iawn. Mi fyddaf yn meddwl llawer am danoch Gartref ar ddiwrnod fel hyn. Meddwl am y Capel a'r Ysgol Sul mor ddifir yn te. Ond mae yr amser yn dod y caf ddod adref eto i'ch plith chwi ag i fwynhau bywyd mewn tawelwch.

Ymhlith y llythyrau sydd wedi eu cadw gan ei deulu, mae 'na luniau pensil ganddo sy'n awgrymu meddwl bachgennaidd nad oedd yn barod ar gyfer erchylltra'r ffosydd pan gyrhaeddodd yno yn 1918. Ac mae ei lythyrau at ei fam yn ategu'r argraff o hogyn diniwed ac unig, nad oedd eisiau bod yno:

Yr oedd gen i bartnar arall Cymro o enw Bob ond Willi oedd ei enw iawn, yn alw yn Bob am mai Roberts oedd ei

*enw diweddaf. Ond mae hwnnw wedi fy ngadal heddiw
i'r hospital yn wael iawn hefo (trench fifar).*

Gymaint oedd ei awydd am fynd adref nes ei fod wedi ei
argyhoeddi ei hun fod y peth yn bosib:

*Annwyl Fam,
... Wel does gennyf ddim llawer i ddweud eto y tro yma
ond y mae son ein bod yn symud i rhiw le i Gymru a bod
mewn tai achos ei bod mor ofnadwy o oer yma mi gewch
wybod pan y byddaf yn cychwun.*

Mae'r llythyr hwn a ysgrifennodd ei fam yn ôl ato yr un
mor dorcalonnus:

*Annwyl Blentyn,
... Wel machgen bach annwyl, mi fyddaf yn meddwl
llawer am danat Gruff Bach Anwl. Mi rwyf yn dal i
weddïo am danat i ddod Adre yn iach Pan y Gwel Duw
yn dda.
    ... Nid i fyned i Rhyfela yr wyt wedi dy Eni Ond fod
hwn i fod fel math o ysgol i ti yn te Griff bach annwyl
machgen bach Anwl i ...*
        Cofion
        Dy fam xxxxxx

Yng nghanol ei lythyrau mae cerdyn post digon cyffredin
ei olwg gyda llun o Grist ar y groes, ond ar y cefn yn
llawysgrifen ei fam mae'r neges ddirdynnol hon: 'Yr oedd
y llun yma yn bocad Griff bach pan y collodd ei fywyd yn
Ffrainc Hydraf 12 1918.'
    Mae'r geiriau syml yna yn dod â lwmp i'r gwddw.
Ceisiwch yn awr luosi ing profedigaeth y teulu bach yma
filiwn a mwy o weithiau – fedrwch chi ddim – ond dyna
oedd y Rhyfel Mawr.

• • •

I lawer o'r milwyr Cymraeg roedd ymuno â'r fyddin yn golygu gorfod arfer â'r iaith Saesneg am y tro cyntaf; ar ôl cyrraedd Ffrainc, roedd yn rhaid ymdopi ag iaith ddieithr arall. Yn *Y Darian* mae'r caplan, Capten James Evans, yn sôn sut roedd y dynion dan ei ofal yn dod i ben â hynny:

Nid oedd llawer ohonom yn gwybod yr iaith Ffrancaeg cyn dod allan. Ond y mae'n rhyfedd fel y mae'r bechgyn yn gweithio'u ffordd. Yr ail noson wedi i ni gyrraedd ein gwersyll gyntaf, a mi a chaplan arall yn eistedd wrth y bwrdd yn cael swper, mi glywasem y chwerthin iachaf a'r difyrrwch mwyaf yn y gegin, lle'r oedd y merched a'r morwynion. Wedi edrych yr achos, ni gawsom fod rhai o'r bechgyn wedi 'troi i fewn i gael sgwrs', ac fe dybiech fod y naill yn deall Seisnig a'r llall French cystal a neb. 'Roeddynt wedi cytuno yn fuan ar ddigon o eiriau i gael difyrwch mawr y noson honno beth bynnag.

Gyda llaw, gan i mi grybwyll y merched a'r morwynion, cystal i mi ddweud nad oes dim wedi rhoddi cymaint o foddhad i mi ag ymddygiad gweddus a phrydferth y rhai hyn yn eu perthynas â'r milwyr. Pan ddaw milwyr i ardal, ni welir yr un eneth yn rhodiana ar y ffyrdd. Mewn gwirionedd, nid wyf eto wedi gweled yr un eneth yn rhodio allan gyda milwr, ac ni welir yr un eneth allan ar ol tywyllo'r dydd. Ac y mae hyn yn wir am y trefydd go fawr y buom ynddynt yn gystal ag ardaloedd gwledig. Ond dangosir serchawgrwydd a chroesaw i'r milwyr, a cha'r bechgyn yn aml fyned i fewn i'r gegin fin nos, ond bydd y difyrrwch a'r chware ym mhresenoldeb y rhieni, ac nid yw'n llai oblegid hynny, ond ei fod llawer yn burach.

Ond, wrth gwrs, nid oedd y fath ddiweirdeb yn nodweddu pob cyfathrach rhwng milwyr a merched Ffrainc. Cafodd dros 150,000 o filwyr eu trin am glefydau gwenerol yn Ffrainc – ychydig dros 3%. Ond gan fod y dynion hyn yn colli mis a mwy wrth ddod at eu hunain, roedd y fyddin yn eithaf llawdrwm ar y dioddefwyr. Dyma a welodd J. M. Davies wrth deithio o'r porthladd i'r llinell flaen; mae'n amlwg nad oedd ganddo yntau ddim llawer o amynedd gyda'r cleifion hyn chwaith:

Yma'n Rouen, 'roedd miloedd lawer o filwyr mewn ysbyty, wedi'u cau i mewn â weiren bigog o'u cwmpas, a phob un yn dioddef o'r clefydau gwenerol. Cymerth lawer ohonynt y clwy yn wirfoddol, er mwyn osgoi myned ymlaen i'r ffosydd. Gwell oedd ganddynt aberthu corff ac enaid na wynebu'r gelyn na allai ladd ond y corff yn unig.

Ond, allan o'r llinell flaen, roedd yn naturiol fod y milwyr cyffredin yn mynd i fachu ar bob cyfle i anghofio am fywyd y ffosydd. Yn ôl James Evans, mewn llythyr arall i'r *Darian*, roedd y milwyr dan ei ofal yntau yr un mor gymedrol wrth ymhél â'r ddiod gadarn ag yr oedden nhw gyda'r merched lleol:

Treulia y bechgyn eu horiau hamdden gan mwyaf yn yr 'estaminets'. Tai trwyddedig yw'r rhain, yn debig i dafarnau Cymru, ond eu bod yn gyfuniad o 'Goffee Tafern' a thafarn trwyddedig. Byddant mor aml ymhob pentref a thafarnau Llanymddyfri! Ceir 'coffee' yno bob amser, ac hefyd y math ar gwrw ag a geir yma. 'Rwyf wedi ei brofi, ac yn ei gael yn debyg i fath o ddiod lysiau y byddai fy mam yn ei wneud er's llawer dydd yn cynnwys 'hops' a dandelion gyda 'blewyn o wermod'. Nid yw'r yfwyr proffesedig yn rhoddi llawer o fri arno. Disgrifiai un ohonynt ef i mi 'fel cusan chwaer, heb ddim gafael ynddo'!

Gwn nad yw'n bosib iddyn feddwi arno'n rhwydd. Gwerthir gwyrodydd poethion hefyd fel 'rum' a 'whiskey', yn yr 'estaminets'. Ond y mae'r awdurdodau milwrol wedi gwahardd iddynt dim o'r cwrw i filwyr Prydeinig. Deallaf, ond nid wyf wedi cael ategiad, fod hyn yn wir am holl adrannau y Fyddin yn y wlad hon. Gwerthir 'bass' yma, ond fod hwnnw yn chwe'cheiniog y peint, ac arian y milwyr cyffredin yn brin, nid yw y perygl o'r cyfeiriad yma yn fawr. Beth bynnag, ychydig iawn o feddwdod a welais oddiar pan wyf yn y wlad hon. Nodaf y pethau gyda boddhad am fod fy ofnau wedi bod yn fwy o gyfeiriad meddwdod ac anlladrwydd nag o un cyfeiriad arall. Nis gallaf ddweud beth ydi hanes y lluoedd yn y trefydd mawrion, ond dyma fel y mae pethau yn bresennol o fewn cylch fy symudiadau, a mawr hyderaf na lacia'r awdurdodau milwrol eu rheolau nes bydd pob pob milwr Prydeinig yn ol yn ei wlad ei hun. Dylaswn ddweyd fod pob milwr allan o'r 'estaminets' am wyth, a bydd pawb, milwyr a thrigolion, gan mwyaf, yn eu gwelyau am naw o'r gloch.

Ond doedd dim angen darbwyllo nifer o filwyr Cymreig rhag meddwi. Iddyn nhw, rhywbeth i'w osgoi oedd unrhyw ddiod gadarn. Yn eu plith yr oedd Simon Jones, o Lanuwchllyn:

Mae'r Brenin yn cael ei flwydd heddiw, a llond bol o gwrw yw'r anrheg i'r Soldiwrs. Buasai yn llawer gwell pe buasai rhyw gyfarfod gweddi ar ei ran ef a ninau ond dyn a helpo Brydain Fawr.

Roedd William Jones o Lannerch-y-medd yr un mor feirniadol wrth ysgrifennu adref o Balesteina:

Da iawn gennyf ddeall fod cwrw yn wyth geiniog y peint a gobeithio y bydd yn ddau swllt y peint pan fydd y rhyfel drosodd. Nid dyma'r lle na'r adeg i feddwl am gwrw, ac y mae'n well o lawer i ni feddwl am ein Duw ynghanol yr ergydion.

Wrth gwrs, dyma'r cyfnod pan oedd y mudiad dirwest ar ei anterth, gyda'r Unol Daleithiau yn y broses o wahardd y ddiod feddwol yn llwyr. Roedd y syniad yn cael ei drafod o ddifri ym Mhrydain hefyd yn ystod cyfnod y rhyfel, fel y gwelwyd mewn hysbyseb ym Maner ac Amserau Cymru ar 7 Ebrill 1917 :

Prohibition i Gymru. Galwad yr Amserau at Genedl y Cymry.
Mae Cyngor Eglwysi Rhyddion Cymru yn ymdaflu a'i holl egni i geisio attal gwastraff y Ddiod yng Nghymru, a thrwy hyny gynorthwyo i ysgafnhau caledi plant tlodion y wlad. Yr unig ffordd i hyn ydyw attal gwneuthuriad a gwerthiant Diodydd Meddwol yng Nghymru tra paro'r Rhyfel ac am chwe' mis ar ol hyny.

Fe benderfynodd rhai, fel Hugh Morris Owen, wneud eu safiad personol eu hunain, ac arwyddo'r adduned ganlynol:

Ardystiad y Brenin:
Yn dilyn esiampl Ei Fawrhydi y Brenin ac yn credu fod Diod Gadarn yn gwneyd niwed i fuddianau y wlad, yr wyf yn ymrwymo i ymatal oddiwrth bob math o Ddiodydd Meddwol hyd derfyn y Rhyfel.

Roedd yna gred hefyd nad oedd y gweithwyr yn y ffatrïoedd arfau yn cynhyrchu digon o sieliau oherwydd eu bod nhw'n treulio gormod o amser yn y dafarn; felly, er mwyn datrys y broblem, cyfyngwyd ar yr oriau agor – a dyna'r drefn a gafwyd am weddill y ganrif ym Mhrydain.

• • •

Erbyn 1918 roedd miloedd o ferched Prydain yn gweithio yn y ffatrïoedd arfau. Meddai golygydd *Baner ac Amserau Cymru* ar 29 Ionawr 1916:

Drwy'r rhyfel mae merched wedi dyfod i etifeddiaeth newydd. Gweithiant yn lle miliynau o ddynion. Y maent yn cario ym mlaen bob math o waith – yn y maelfeydd, ar y rheilffyrdd, yn gyru modurion, yn rhanu llythyrau, yn gwerthu llaeth – mewn gair, maent ynglyn â phob rhyw waith – yn cogyddu i'r milwyr, yn gweini yn yr ysbytai, yn gweithredu fel garddwyr, yn hwsmoniaid ar ffermydd ac yn golygu newyddiaduron.

Flwyddyn yn ddiweddarach, neges debyg oedd gan olygydd *Gwalia* ar 24 Ionawr 1917:

Oni bae am y merched, nis gwyddem ddal fyny ein masnach a chynyddu mewn gwneud a phentyru miwnisiwn fel ag yr ydym wedi gwneud. Oni bae am anturiaeth, cywreinrwydd, dewrder ac aberth y merched, ni fuasem yn gallu lluosogi y Fyddin, a chael i'r maes ddigon o ddynion i sicrhau buddugoliaeth.

Ond os oedd y rhyfel wedi caniatáu mynediad i ferched i sawl maes a diwydiant newydd, doedd hyn ddim yn golygu cydraddoldeb i ferched o bell ffordd. Meddai golygydd *Yr Herald Cymraeg* ar 10 Medi 1918:

Mae merched y Deyrnas yn codi cri yn erbyn yr anghyfiawnder o dalu llai o gyflogau iddynt nag a delid gynt i ddynion am gyflawni'r un gwaith ag a wneir ganddynt hwy yn awr. Cynhaliwyd cynhadledd lluosog o'r merched yn Llundain, a phasiwyd penderfyniad cryf yn erbyn gwaith awdurdodau y gweithfeydd cad-ddarpar yn talu llawer llai o gyflog i ferched am wneud yr un gwaith yn hollol a dynion.

Ond o leiaf roedd y Llywodraeth yn fodlon cydnabod cyfraniad y merched, hyd yn oed os nad oedd y cyflogwyr yn fodlon gwneud hynny, ac yng ngholofn y merched ym mhapur *Y Darian* ar 10 Ionawr 1918, cyhoeddwyd bod newidiadau mawr ar droed:

Mae'r amcan mawr yr ymladdwyd drosto mor ddewr gan fenywod o bob gradd yn ystod y blynyddoedd diweddaf erbyn hyn bron a'i sylweddoli. Yr ydym yn mynd i gael y Fôt o'r diwedd ... Tueddir dyn weithiau i glodfori Rhyfel fel moddion ardderchog i symud cyndynrwydd dynion.

• • •

Ond roedd 'y dynion' mor gyndyn ag erioed ynglŷn â chaniatáu i ferched weithio yn nes at y llinell flaen, er cymaint yr angen am lafur yno. Erbyn 1918, yn dilyn cytundeb rhwng llywodraethau Prydain a Tsieina, roedd tua 100,000 o Tsieineaid yn cael eu cyflogi fel gweithwyr dan ddisgyblaeth filwrol. Roedden nhw'n gweithio fel llafurwyr gyda'r fyddin am saith geiniog yr wythnos.

Roedd William Owen o Gaernarfon yn sarjant gyda'r Chinese Labour Corps, fel nifer o ddynion eraill oedd wedi eu hanafu mewn brwydr ond heb fod yn ddigon iach wedyn i fynd nôl i'r llinell flaen. Prin fod yr awdurdodau Prydeinig yn dangos unrhyw drugaredd tebyg i'r llafurwyr Tseiniaidd pan oedden nhwthau'n clafychu.

Mynwent Ayette yw'r unig fynwent ryfel yn Ffrainc lle ceir pagoda yn hytrach na'r groes arferol, ac yma y gorwedd rhai o'r llafurwyr o Tsieina a milwyr o India, gyda'r cerrig beddau yn dwyn arysgrifau Tsieinëeg a Hindi, yn ogystal â rhai Saesneg. Bu farw tua 1,500 o lafurwyr Tsieineaidd yma yn Ewrop.

Roedd yr angen am lafurwyr fel hyn yn symptom o un o broblemau mwyaf byddin Prydain yn Ffrainc, sef yr angen i gludo'r rhan fwyaf o'r bwyd ar gyfer ei dynion a'r porthiant ar gyfer ei cheffylau dros y môr o Brydain. Doedd prynu mwy o fwyd gan y Ffrancwyr ddim yn opsiwn. Oherwydd bod cymaint o dir wedi ei gipio gan yr Almaenwyr a bod tiroedd helaeth wedi eu difetha gan yr ymladd, roedd gallu Ffrainc i gynhyrchu bwyd yn lleihau yn y cyfnod hwn. Er mai 8% o'i bwyd yr oedd

Ffrainc yn ei fewnforio yn 1913, roedd hyn wedi codi i 25% erbyn 1919. Felly, doedd dim dros ben ganddi i'w gynnig i luoedd byddin Prydain.

Mewn ymgais i leihau swmp y bwyd yr oedd angen ei gario dros y môr, roedd rhai swyddogion yn annog eu milwyr i dyfu cnydau cegin pan oedden nhw'n gorffwys y tu ôl i'r ffosydd blaen. Ac i W. T. Williams, ar 9 Mawrth 1918, roedd y syniad yn gwneud synnwyr:

Mae yn gwneud tywydd ardderchog ar hyn o bryd, ac yr ydym yn bwriadu planu tipyn o datws a bresych eleni. Mae pob bateri yn parotoi darn o dir at ei anghenion ei hunan. Syniad newydd hollol ydyw hyn, ond mae yma wlad o dir rhagorol yn gorwedd yn segur, ac mae'n bleser gennym drin tipyn arno yn ystod ein horiau hamddenol.

Yn 1917 dechreuwyd trafod gwneud hyn ar raddfa fawr. Roedd tiroedd helaeth dan ofal y fyddin, â modd tyfu cnydau ar rai ohonyn nhw. Yng ngwanwyn 1918 aed ati o ddifri, gan aredig a hau hen feysydd y gad. Roedd yn rhaid llenwi hen ffosydd, wrth gwrs. Problem arall oedd fod sieliau weithiau wedi ffrwydro ymhell dan ddaear gan greu ogofâu bychain a fyddai'n dymchwel a llyncu tractor wrth aredig.

Cyn y gellid medi'r cnydau hyn, dryswyd y cyfan gan ymosodiad yr Almaenwyr. Ond wrth orfod cilio daeth cyfleon newydd i fwydo'r fyddin. Gyda chymaint o drigolion Ffrainc wedi ffoi rhag yr Almaenwyr, gadawyd erwau lawer o'u cnydau yn y caeau ac roedd yna berygl i'r cyfan gael ei golli pe na bai modd ei gynaeafu. O'r herwydd, roedd galw mawr am filwyr â phrofiad o amaethu, fel y nododd Tom Owen yn ei ddyddiadur:

Pan oedd boys yn cychwyn i ffoesydd Mi gefais galw a holi faint eiddwn yn gwybod ar ffarm fell[y] mi ydwyf [wedi] bod yn bur lwcus eto sef gael gyrru i Harvist Camp i trio gael y gynuaf ud i fewn.

Mae British wedi meddianu yr oll cropiau sydd yn nagos i ffosydd. Mae French wedi gorfod geilio nol a gorfod gadael gwble [y cwbl] ac mae yr ud yn rhy agos i gelyn fell mae hi yn rhy peryglus iddynt i trio ei gael a tyna chwi a amcan yr ydan ni yma sef trio gael gropia at i gillydd rhag difetha. Ydan ni ddim wedi bod yno eto nid oes yma ddigon o Bladuria ini. Mae na tua 200 o ddynion yma a llawer o Gymry ... Mae yma tros mil o aceri eisio ei torri felly mae nw yn dweyd bod yma waith yma am tua 2 fis.

Tra oedd Tom Owen wrth ei ddyletswyddau newydd, cafodd rywfaint o gyfle i gloriannu ei sefyllfa:

Mi rwyf yn sgweni hwn ar pen blwydd yr Rhyfel yma sef 4 oed ar fore sul ar 4th of August. Mi rwyf yn bur falch o gael gwaith yma Ond mi fusa yn llawer gwell tasawn yn gael dod trosodd i sir fon. Ond diolch byth am gael spario fod yn trenches yna ac spario fod yn Battles mawr yna fel mae rhau oin bechgyn yn diodde.

Ond ni chafodd ei sbario'n hir. Daw'r dyddiadur i ben y diwrnod canlynol, pan gafodd ei alw 'nôl i'r ffosydd. Bu'n rhan o'r ymosodiad yn ardal y Somme i adennill y tir a ildiwyd i'r Almaenwyr yn ystod gwanwyn 1918, ac fe laddwyd Tom Owen ar 2 Medi 1918, yn 23 oed. Does ganddo ddim bedd; mae ei enw ar gofeb yn Vis-en-Artois, ac ar gofeb Llannerch-y-medd.

• • •

Ond roedd byddinoedd y Cynghreiriaid yn dal i yrru'r Almaenwyr yn eu holau, a milwyr fel Simon Jones, mewn llythyr at ei deulu ar 1 Gorffennaf 1918, yn ddigon hyderus:

*Rydym yn llwyddianus iawn bob tro y cynhygwn yn awr
ac mae hyny wedi bod yn bur amal ers pan ddeuais yn ol.
Tipin yn galed i fynd i fyny ar hyd Codiad Tir ydyw, ond
unwaith cewn y top bydd [y gelyn] i ffwrdd am ei fywyd.
Tipin yn Goediog ydyw o'n blaenau yn awr, ond os bydd
yn anodd i'w symud fydd y Gynau ddim yn hir yn ei
chwthu i ffwrdd.*

Wrth i haf droi'n hydref yn 1918, am y tro cyntaf roedd
dynion yn y ffosydd yn meiddio meddwl am ddiwedd y
rhyfel a bywyd wedi hynny. Dyma Simon Jones eto:

*Beth iw eich barn o'r Rhyfel erbyn hyn? Mae yna hen
siarad tua'r cneifio yno mae'n siwr. Mae tipyn gwell
golwg arni yn awr onid oes. Credaf gallwn fod yn dawel
na threchith o ddim yn awr, wedi methu yn yr ymgais
fawr, er mae'n siwr bydd brwydro garw eto ... Anodd iw
meddwl am derfyn heb fod yn fuddugwyr onide pan mae
Cyfeillion a pherthnasau wedi rhoddi ei bywyd dros yr
hen Wlad. Ond Gobeithio y byddwn yn well dynion ar ol
trychineb fel hyn.*

Un ffactor yn llwyddiant byddinoedd y Cynghreiriaid
oedd parodrwydd yr Almaenwyr, ym misoedd olaf y
rhyfel, i gael eu cymryd yn garcharorion. Cymerodd
byddin Prydain dros 150,000 o garcharorion yn nhri mis
olaf y rhyfel– yr un nifer, bron, ag yr oedden nhw wedi eu
cymryd yn y pedair blynedd blaenorol. Yn y gyfrol *O
Gwmpas Pumlumon* cawn ddisgrifiad J. M. Davies o rai o'r
carcharorion hyn:

*Mewn man arall gwelais ryw ddeg ar hugain o
garcharorion Almaenig mewn caets. Roedd nifer ohonynt
wedi'u clwyfo a gallwn dybio fod meddygon yn eu plith
yn trin eu clwyfau.*

Wrth i'r milwyr Almaenig cyffredin synhwyro bod eu harweinwyr wedi anobeithio, dyna wnaethon nhwythau hefyd. Ond roedd gofyn i filwyr cyffredin Prydain newid eu hagwedd hefyd. Clywsom eisoes gan Hugh Pugh am y math o bethau allai ddigwydd i garcharorion ar ôl iddyn nhw ildio.

A phrin oedd y cyfleon ar gyfer cyfathrach gyda'r gelyn. Eithriad yw'r cyfeiriad hwn gan W. T. Williams, ar ôl brwydr Cambrai yn Nhachwedd 1917, sy'n awgrymu iddo nid yn unig weld llawer o garcharorion ond hefyd siarad â nhw:

Gwelais filoedd o garcharorion yn myned heibio yma ar hyd yr wythnos, ac yr oeddynt wedi synnu ein bod wedi enill mor dda, oblegid eu bod yn meddwl ein bod wedi anfon ein milwyr i Itali.

Roedd y milwyr yn cael eu hyfforddi i beidio â meddwl am ddynoliaeth y gelyn, ac roedd y cyflyru hwn yn effeithiol dros ben. Tipyn o sioc, felly, hyd yn oed i undebwr fel Huw T. Edwards, oedd cael ei atgoffa ar ôl brwydr, mai 'dyn yw dyn ar bob cyfandir', fel y nododd yn ei hunangofiant, *Tros y Tresi*:

R oeddem wedi cymryd nifer fach o'r Almaenwyr yn garcharorion ... Yn eu plith yr oedd bachgen ifanc iawn, â golwg ofnus arno ac yr oedd hynny'n eithaf naturiol. Wrth gerdded yn ei ochr mentrais wenu arno. Gwenodd yn ôl gan fynd i'w boced a thynnu allan lun. Llun ydoedd o'i fam a'i dad a'i chwiorydd a'i frodyr wedi ei dynnu o flaen tŷ ffarm yn yr Almaen. Gwelais (fel pe bai llenni wedi disgyn oddi ar fy llygaid) ryfel yn noeth lymun groen. 'R oeddwn hyd yn hyn wedi rhyw hanner gredu mai angylion oeddem ni filwyr Prydain ac mai cythreuliaid oedd milwyr yr Almaen ... Peth ysgytiol oedd sylweddoli ar amrantiad fod rhwymyn teuluol yr un mor gryf yn yr

190

Almaen ag yng Nghymru, a'r gweddïo am fuddugoliaeth
yr un mor daer.

• • •

Yn sgil llwyddiant byddinoedd y Cynghreiriaid, roedd
llinell yr Almaenwyr yn symud 'nôl ar draws Fffrainc yn
gynt nag yr oedd wedi gwneud ers misoedd cyntaf y
rhyfel. Roedd pethau'n prysuro, yn y llinell flaen ac yn y
pencadlys fel ei gilydd, fel yr ysgrifennodd Ernest Roberts
yn ei hunangofiant, *Ar Lwybrau'r Gwynt*:

Byddwn â 'nhrwyn ar y maen neu fy mysedd ar y
teipreitar hyd oriau mân y bore yn aml iawn.
*   ... Tua saith o'r gloch bob nos cawn operation orders*
i'w teipio a'u danfon i unedau o'r Awyrlu. Rhaglen ac
amserlen o'r gwaith ar gyfer tranoeth oedd honno – y
pontydd neu'r croesffyrdd i'w bomio, neu weithiau ddarn
o'r tir lle y tybid y llechai gynnau'r gelyn.

Roedd Sgwadron 103 yn Serny, Ffrainc, ymhlith y rhai a
oedd yn derbyn gorchmynion gan Ernest Roberts. Yng
Ngorffennaf 1918 daeth Cymro ifanc dibrofiad o'r enw
Emrys Owen o Landdeiniolen i ymuno â nhw. Dyma ran
o lythyr a ysgrifennodd ar 27 Awst 1918 at R. R. Roberts,
adref yn Ninorwig:

F'annwyl Gyfaill
Dyma fi o'r diwedd yn taro ati i anfon gair bach atoch
gan obeithio eich bod yn gwella. Mae yr amser yn ehedeg
yn rhyfedd ac rwyf wedi bod yn y wlad yma bum
wythnos.
*   Does dim cymhariaeth o gwbl rhwng ehedeg yma ac*
ehedeg yn Lloegr. Yno byddem yn cael yr hwyl o grafu
uwch ben pentrefi a wavio ar y gennod. Yma byddwn yn
hofran allan o olwg dyn – ran amlaf tua'r 15000.

O'r holl lythyrau rydw i wedi eu darllen, dyma un o'm

ffefrynnau i. Mae 'na ddiniweidrwydd yn y llythyr yma gan Emrys sy'n reit apelgar. Ond mae rhywbeth yn reit arswydus ynddo hefyd:

Peth dyddorol yw gwylied y bombs yn disgyn. Dyma ni yn gweld yr objective – rhyw station neu aerodrome neu billets y gelyn – Yna dyma blwc ar y toggles a dyma'r pills yn disgyn disgyn – yn is-is. Ac yn mynd yn llai nes o'r diwedd ddiflannu, ond ar ol ychydig eiliadau mae y burst i'w gweld ambell i waith wedi cynneu tan reit dda, neu wedi chwythu railway neu siding i fynny.

Mewn rhyfel a oedd yn brin o *glamour*, yr RAF oedd 'marchogion yr awyr', fel petai. Ac roedd Emrys yn gwerthfawrogi'r sefyllfa gymharol freintiedig hon:

Mae y tywydd dipyn yn anffafriol y prydnawn yma – gormod o gymylau o gwmpas felly rydym yn cael Holiday. Mae yma griw reit jolly yma ac felly dydyw hi ddim yn ddwl yma. Mae un fantais fawr gennym ni ar yr Infantry. Mae gennym le cyffyrddus i ddod yn ol ar ol bod ar 'show'. Huts clyd a phopeth yn hynod hwylus.

Ar ol dod yn ol dyma wneud report o beth ydym wedi weld etc etc. Yna dyna newid a wash a gallwn fwynhau pryd da o fwyd.

Efallai mai dyna sy'n cyfri am y brwdfrydedd bachgennaidd sydd yn y llythyr hwn:

Ddydd Sadwrn ymosododd deg o honynt ar bump o honom ni ond cawsom dair o honynt i lawr yn fflammau. Dyna'r stwff – ynte!

Pan yn cyfarfod Huns yn yr awyr nid yw un yn meddwl am y perigl o gwbl – ei gymeryd yn fwy o ryw sport.

Ond roedd yn 'sport' peryglus iawn:

Ni wnaf anghofio un trip yn fuan pan wnaeth pump ar hugain o scouts y gelyn ymosod ar saith o honnom. Cawsom le poeth iawn. Roedd tua deuddeg tu ol i mi a'r bwledi yn canu wrth basio fy nghlustiau. A minnau yn tanio cyn gyflymed ag y gallwn. Os nad oeddwn yn eu saethu roeddwn yn eu cadw draw. I wneud pethau yn waeth roedd rhai yn divio drwy'r formation. Fodd bynnag deuthom ni i gyd yn ol yn saff ond roedd Fritz ddau yn fyr. Roedd y wings a'n planes ninnau yn fwledi i gyd.

Efallai fod bywyd y Llu Awyr yn freintiedig o'i gymharu â bywyd yn y ffosydd, ond fel mae'r darn diwethaf yn awgrymu, gallai fod yr un mor beryglus. Dair wythnos ar ôl ysgrifennu'r llythyr byrlymus hwn, roedd Emrys Owen yn hedfan gyda hogyn o Abertawe, Lt Phillips, yn rhan o ymosodiad ar Hurbourdin:

Golygfa go ryfedd yw o gwmpas y 'lines' – y ddaear yn dyllau i gyd oddiwrth shells a bombs a trefi a phentrefi yn falurion – ambell i flash i'w gweld yma ac acw a dyna'r unig beth ydym yn allu weled o'r awyr i wybod fod rhywfaint o fywyd yn y lle. Ar ol mynd ychydig ymhellach rydym yn gwybod ar unwaith ein bod yn Hunland gan fod Archie shells yn burstio o'n cwmpas.

'Archie' oedd enw'r Prydeinwyr ar ynnau gwrthawyrennol y gelyn, a oedd wedi eu henwi, mae'n debyg, ar ôl cân *music hall* boblogaidd o'r enw 'Archibald, Certainly Not!' Trawyd awyren y ddau Gymro gan 'Archie' mae'n debyg a phlymiodd i'r ddaear, ac mae'r ddau wedi eu claddu, ochr yn ochr, yn Fleurbaix.

• • •

Ond roedd byddinoedd y Cynghreiriaid yn dal i symud ymlaen, a hynny nid yn unig yn Ffrainc. Roedd pethau'n gwella ar sawl ffrynt. Ym Medi 1918 cychwynnwyd cyrch mawr arall yn erbyn byddin Bwlgaria ym Macedonia; y tro hwn fe'i chwalwyd yn syth ac erbyn diwedd y mis roedd Bwlgaria allan o'r rhyfel.

Fis yn ddiweddarach roedd Awstro-Hwngari hefyd allan o'r rhyfel; yn wir, roedd yr ymerodraeth honno wedi peidio â bod, wrth i'r Tsieciaid, yr Hwngariaid a'r Pwyliaid fynnu eu hannibyniaeth.

Ym Mhalesteina roedd Allenby wedi llwyddo i adfer ei fyddin i'w chryfder blaenorol erbyn diwedd mis Medi, ac roedd yn barod i symud yn erbyn lluoedd y Tyrciaid. Milwyr o India oedd y rhan fwyaf o'i fyddin erbyn hyn, ond roedd yna gatrodau Cymreig yn eu plith hefyd. Cyfarfyddon nhw â'r Tyrciaid ar 19 Medi 1918 yn Megiddo (sef safle tebygol yr Armagedon y cyfeirir ati yn y Beibl). Roedd John Gwynoro Thomas yno:

Er ein syndod ni a'r gelyn, fe ddaliwyd ei holl fyddin a bu diwedd arno, ac roeddem wedi ei orchfygu yn llwyr, ac wrth ymyl y lle yma ddaru ni ei orchfygu roedd ffynon Jacob, a gallwn ddweud ein bod wedi cael yr orchafiaeth hon ac hefyd ddiwedd ar deithio yr anialwch blin wrth ffynhon Jacob.

Chwech wythnos yn ddiweddarach, ar ôl i Damascus ac Aleppo syrthio i fyddin Allenby, roedd y Tyrciaid wedi ildio'n derfynol. Meddai John Gwynoro Thomas eto:

Gan ein bod wedi ei orchfygu nid oedd angen am danom i fyned ymhellach, gan ein bod mewn ffordd wedi gorphen ein gwaith, a gallaf eich sicrhau ein bod yn falch iawn o gael diwedd ar deithio yn yr anialwch.

O un i un roedd yr Almaen yn colli ei chynghreiriaid, a'i byddinoedd yn dal i gilio yn Ffrainc a Fflandrys. Roedd

W. T. Williams ymhlith y milwyr cyntaf i fynd i mewn i ddinas Courtrai, ac mewn llythyr at ei rieni ar 28 Hydref 1918 disgrifiodd y profiad:

Bu y ddinas yma a'r trigolion yn nwylaw y gelyn am dros bedair blynedd, ac fe synech mor falch oeddynt o weled y milwyr Prydeinig. Yr oeddynt bron yn ein haddoli pan ddaethum yma. Dyma oedd y tro cyntaf iddynt hwy weled milwyr Prydain. Mae'r ystrydoedd heirdd yma yn fflagiau i gyd, ac fe synech glywed beth mae'r bobl yma wedi ei ddioddef. Maent heb weled cig na chaws ers misoedd. Maent yn llawen iawn yn awr, ac yn gwisgo rhubanau heirdd i ddathlu'r fuddugoliaeth. Nid ydym ni yn saethu o gwbl ar hyn o bryd, oblegid nis gwyr neb ple bydd y gelyn. Mae yn cilio yn ol bron bob dydd, ac yn chwythu pob pont a phob ffordd ar ei ol, fel y mae yn anodd iawn ei ddilyn, yn enwedig gyda'r gynnau mawr yma.

Meddai Ernest Roberts:

Yn ystod wythnosau olaf y rhyfel, a'r gelyn ar ffo, a'r lein yn symud yn aml, ceid cyfnewidiadau parhaus ar y gorchmynion er mwyn arbed bomio ein bechgyn ein hunain ... Rhuthrai byddinoedd y Cynghreiriaid ymlaen mor gyflym yn ystod y cyfnod hwn fel y bu raid i'r Flying Corps (erbyn hyn yr RAF) gael pencadlys symudol i'r cadfridog a'i staff o is-swyddogion, clarcod a choginwyr. Gweithiem y dydd a chysgem y nos mewn loriau neu hen ddygowts a adawyd gan ein milwyr, a synhwyrem fod y diwedd yn agos.

Ac meddai W. T. Williams ar 28 Hydref :

Mae pawb yn galonnog iawn yn awr, ac yn disgwyl y bydd buddugoliaeth lwyr yn ein cyrhaedd yn fuan 'rwan.

Trwy gyd-ddigwyddiad rhyfedd, daeth y rhyfel i ben yn agos at Mons, lle roedd yr ymladd wedi cychwyn bedair blynedd ynghynt. Ym mynwent Saint Symphorien mae bedd John Parr, y milwr cyntaf i gael ei ladd yn ystod y rhyfel, yn ogystal â'r olaf, sef George Lawrence Price, a laddwyd ddwy funud yn unig cyn y cadoediad.

Gyda byddinoedd yr Almaen yn colli tir yn y gorllewin, a diflaniad ei chynghreiriaid yn ei gadael yn agored i ymosodiad o'r de, roedd ei chadfridogion wedi gofyn am gadoediad. Ddechrau Tachwedd dechreuodd chwyldro yn yr Almaen. Rhoddodd y Kaiser ei goron heibio a gadael ei wlad ar 10 Tachwedd, ac fe arwyddwyd cadoediad y bore canlynol. Ernest Roberts, ym mhencadlys yr RAF, oedd un o'r rhai cyntaf i gael gwybod amdano:

Hanner awr wedi chwech fore Llun clywsom yn gyfrinachol gan un o wŷr y teleffon fod neges wedi dod o Bencadlys Haig fod y rhyfel drosodd. Ni allem orfoleddu ar y pryd heb fradychu cyfrinach y teleffonwyr, ond yn fuan wedyn fe'm galwyd i ystafell Ludlow-Hewitt [eu pennaeth] ... 'Take this order for all units', meddai'n ddi-gyffro ... 'Hostilities will cease at 11.00 today. No operation should be undertaken which cannot be completed by that hour. No machine will cross line after that hour. Patrols will be maintained but should not operate further forward than line of our balloons.'

Mi wneuthum gopi ychwanegol o'r gorchymyn i'w gadw fel rhywbeth i gofio; mae hwnnw o'm blaen yn awr ... Daeth y Rhyfel Byd Cyntaf i ben.

Llanwyd strydoedd Llundain gan y tyrfaoedd, cyneuwyd coelcerth yn Sgwâr Trafalgar, a derbyniwyd y newyddion yr un mor frwd gan gatrawd T. Salisbury Jones:

Tachwedd yr 11eg 1918. Troes y dydd yn ddiwrnod o rialtwch ac o lawen chwedl, nid oedd dal ar yr hogiau.

Bron nad oedd eu llawenydd yn ymylu ar wallgofrwydd. Chware teg iddynt gael eu ffling! Gwell dadwrdd miri a gloddest, bellach, na sgrechiadau gynnau mawr yn chwydu marwolaeth.

• • •

Naw deg mlynedd ar ôl i'r gynnau dewi, prin yw'r olion o'r gyflafan a wnaeth gymaint o ddifrod i rannau o Ffrainc a Gwlad Belg. Yn Sanctuary Wood yn Hooge, ger Ieper, mae ambell fonyn o'r coed a gafodd eu dinistrio yn y Rhyfel Mawr yn dal i sefyll hyd heddiw, ac mae creithiau'r bwledi yn amlwg arnyn nhw o hyd. O'u cwmpas mae ffosydd 1915 wedi eu hailagor a'u leinio â sinc.

Mae'r ffosydd hyn a safleoedd tebyg yn dal i ddenu'r pererinion yn eu miloedd. Mae'r Rhyfel Mawr yn dal i fwrw cysgod hir dros yr holl wledydd a aberthodd gynifer o'u meibion ynddo, ac mae awydd ynom o hyd i geisio deall.

Ac efallai mai yn y mynwentydd milwrol, yn hytrach na'r amgueddfeydd a'r hen ffosydd sydd wedi eu hail-greu, y mae'r lle gorau i geisio gwneud hynny. Dechreuodd y gwaith o gofrestru'r meirwon yn fuan yn ystod y rhyfel a sefydlwyd yr Imperial War Grave Commission yn 1917. Cyfeiriodd Arthur Morris at ei waith mewn llythyr a gyhoeddwyd yn *Y Drych* ar 30 Awst 1917:

Wrth fyned heibio ein mynwentydd sylwais fel y byddem i gyd yn ddystaw gan deimladau dwys. Troem ein gwynebau i edrych ar y croesau bychan gwynion, ac ynof fy hun, byddwn yn meddwl – tybed fydd fy enw i ar groes wen yn y fan hyn. Fe ddichon mai rhywbeth yn debyg ydoedd meddyliau fy nghyfeillion.

Fe'i hadwaenir bellach fel y Commonwealth War Graves Commission ac mae'n gyfrifol am dros fil o fynwentydd y

Rhyfel Mawr. Mae rhai yn cynnwys ychydig o feddau yn unig, ac mae miloedd yn rhai o'r lleill. Y fynwent fwyaf yw mynwent Tyne Cot, ger Passchendaele, gyda 12,000 o ddynion wedi claddu yno. Mewn llythyr at ei rieni ar 27 Ebrill 1917, cyfeiriodd W. T. Williams at ba mor sydyn yr oedd y mynwentydd hyn yn llenwi:

Mae yn brydnawn Sul braf, ac yr wyf yn cael tipyn o seibiant i ysgrifennu attoch ... Yr wyf yn eistedd oddiallan gan ei bod mor braf, a thra yr wyf yn ysgrifennu mae brwydr ffyrnig yn myned ymlaen. Mae tanbelenau y gelyn yn disgyn o'n cwmpas ymhob cyfeiriad, ac y mae ein gynnau ninnau yn tanio am y gore. Mae yma ddigon o dwrw i ddeffro y meirw sydd yn y fynwent filwrol gerllaw. Wythnos yn ol nid oedd yr un corph wedi ei gladdu yn y fan yna, ond wele heddyw rhesi o feddau dynion ieuainc wedi eu torri i lawr yn ddianghenrhaid. Mae yn llawnach heddyw na mynwent Llanllechid. Dyna i chwi syniad bychan pa beth y mae wythnos o ryfel yn eu wneuthur.

• • •

Mae tir Ffrainc a Fflandrys, lle bu'r brwydro, yn dal i ildio ambell gorff o gyfnod y Rhyfel Mawr, fel y gwelsom yn gynharach yn achos Jack Siencyn – ac mae hefyd yn ildio llawer iawn o'r hyn a'u lladdodd nhw yn y lle cyntaf. Bob blwyddyn, daw 300 tunnell o hen sieliau i'r golwg yn y caeau lle bu'r gyflafan. Dyma'r hyn mae ffermwyr Fflandrys yn ei alw yn 'gynhaeaf haearn'.

Ar 25 Mehefin 1917, yn ei lythyr olaf adref cyn iddo gael ei ladd ger Ieper, roedd Hedd Wyn wedi ceisio gweld llygedyn o obaith yn yr offer dinistriol hyn:

Y peth tlysaf a welais i hyd yn hyn oedd corff hen 'shell' wedi ei droi i dyfu blodau: 'r oedd coeden fechan werdd yn cuddio rhan uchaf yr hen 'shell' a naw neu ddeg o flodau bychain i'w gweled cyd-rhwng y dail, yn edrych mor ddibryder ag erioed. Dyma i chwi brawf fod tlysni yn gryfach na rhyfel onide? a bod prydferthwch i oroesi dig; ond blodau prudd fydd blodau Ffrainc yn y dyfodol, a gwynt trist fydd yn chwythu tros ei herwau, achos fe fydd lliw gwaed yn un â sŵn gofid yn y llall.

Wn i ddim a ydi tlysni yn gryfach na rhyfel, ond gyda milwyr olaf y Rhyfel Mawr wedi marw bellach, mae eu lleisiau o leiaf yn parhau; mae eu dewrder yn ysbrydoliaeth, a'u gobeithion a'u gofidiau yn rhybudd oesol inni rhag erchylltra pob rhyfel. Mae lliw gwaed ar flodau pob oes ysywaeth, a sŵn gofid o hyd ar y gwynt.

4/10/2017